Louis N. Fortin

Les 33 leçons du bonheur

Ce livre a été publié originellement aux Éditions Loup-Garou
durant le troisième trimestre de 1980.

C.P. 325, Succursale Rosemont
Montréal (Québec), Canada H1X 3B8
Téléphone: (514) 522-2244
Télécopieur: (514) 522-6301
Courrier électronique: pnadeau@edimag.com

Éditeur: Pierre Nadeau

Dépôt légal: premier trimestre 2000
Bibliothèque nationale du Québec
Bibliothèque nationale du Canada

Canada
Nous reconnaissons l'aide financière du gouvernement du Canada
par l'entremise du Programme d'Aide au Développement de
l'Industrie de l'Édition (PADIÉ) pour nos activités d'édition.

les 33 leçons du Bonheur

EDIMAG

L'éditeur populaire

> Édimag inc. est membre de l'Association nationale
> des éditeurs de livres.

DISTRIBUTEURS EXCLUSIFS

Pour le Canada et les États-Unis
Les Messageries ADP
955, rue Amherst
Montréal (Québec) H2L 3K4
Téléphone: (514) 523-1182
Télécopieur: (514) 939-0406

Pour la Suisse
Transat S.A.
Route des Jeunes, 4 Ter
C.P. 1210
1 211 Genève 26
Téléphone: (41-22) 342-77-40
Télécopieur: (41-22) 343-46-46

«*Il y a quatre femmes dans ma vie: Isabelle, Johanne, Jacynthe et Mélissa. Donc, à l'excellente épouse avec laquelle je partage mes nombreux «petits bonheurs», aux deux filles au grand coeur issues de notre union, ainsi qu'à la merveilleuse «petite perle» du jour de mes quarante ans, je dédie cet ouvrage; sans non plus oublier les milliers d'amis lecteurs et lectrices qui me font le grand honneur de me lire.*»

«*A quoi sert de réussir dans tout ce qu'on a fait, si on manque le bonheur par tout ce qu'on n'a pas fait!*»

Table des matières

Avant-Propos

Aujourd'hui dans notre monde, on s'intéresse beaucoup plus à prolonger l'existence de l'homme qu'à lui rendre la vie agréable.

Après m'être mis minutieusement à observer la vie telle qu'elle se déroule autour de moi et telle qu'elle se révèle en moi, voilà ce que j'ai fini par constater en ce qui a trait au bonheur: le Bonheur, le bonheur authentique, me semble être une denrée qui se fait de plus en plus rare de nos jours.

Il y a environ une dizaine d'années, quand je projetai d'écrire un livre sur le bonheur, je constatai alors que mes connaissances pratiques sur ce qui se rapporte au bonheur sous un certain angle, étaient plus que limitées. Avant de m'appliquer à concrétiser ce projet qui me tenait tant à coeur, me suis entrenenu à propos, tant avec mes connaissances qu'avec diverses autres personnes que je côtoyais quotidiennement. Plus j'interrogeais les gens au sujet du bonheur, plus je réalisais combien long serait le temps qui devrait s'écouler avant que j'écrive mon livre sur ce sujet. Eh bien, je dois avouer qu'il s'agit là d'un sujet presque insaisissable étant donné que ma vaste et longue enquête sur le bonheur s'est échelonnée sur une période de plus de dix années. Et aujourd'hui, en ce début de la décennie des années quatre-vingts, je suis heureux de vous présenter enfin cette modeste réalisation, je l'atteste, que je souhaitais tant mener à bon terme: un livre sur le bonheur.

Oui, aujourd'hui je suis fier parce que durant ces dix années, j'ai pu finalement comprendre tant de choses concernant le bonheur. Par exemple, j'ai compris le délicat processus qui fait qu'une personne soit en mesure de dire: «Je suis heureuse» tandis qu'une autre, elle, semble incapable de saisir la moindre parcelle de ce bonheur légitime auquel aspire tout être humain sensé. J'ai aussi compris que le bonheur, le vrai bonheur, n'a aucune espèce de rapport avec l'argent, la beauté, la popularité, la gloire, la santé, la race, le sexe, l'âge, le statut social, les circonstances de la vie et bien d'autres facteurs... De plus, j'ai encore compris que le bonheur n'est pas héréditaire au sens propre du terme; que le bonheur ne s'achète pas, ne se vend pas et que s'il n'est pas toujours où on pense pouvoir le trouver, il est souvent, par contre, où l'on ne soupçonne même pas sa présence.

Durant mes dix années de recherches assidues, j'ai clairement compris que le bonheur n'est, très souvent, pas autre chose qu'une question d'habitude. En effet, tout comme on s'habitue à bien manger, à bien travailler, à bien respirer, à bien dormir et à bien vivre, on parvient aussi à s'habituer à être heureux, à être heureux aussi intensément qu'on veut bien l'être.

Mais ce que j'ai le mieux compris durant ma longue enquête, et ceci à mon grand désarroi, c'est de constater et prendre finalement conscience que plus de quatre-vingt-dix pour cent des personnes que j'ai côtoyées et questionnées durant ces dix longues années se résignaient à végéter dans un mode de vie lamentable et malheureux du seul fait de leur profonde ignorance des fondements sur lesquels repose le bonheur. Oui, que c'est malheureux de voir tous ces gens, hommes et femmes, époux et épouses, pères et mères, garçons et filles, jeunes gens et vieillards, se résigner et se condamner inutilement à subir et endurer une vie remplie de malheurs alors que tous ces êtres n'auraient qu'à se pencher pour cueillir, puis saisir et goûter pleinement tous ces innombrables «petits bonheurs» qui croissent tout autour d'eux.

C'est bête mais c'est ainsi et pas autrement: plus de neuf personnes sur dix sont malheureuses pour rien. Si le bonheur est une habitude de vie, j'ai constaté que le malheur est aussi une habitude, mais une bien mauvaise. Et puisque toute habitude, soit bonne ou mauvaise, peut aisément s'améliorer ou s'empirer, cette détestable habitude qui consiste à patauger dans la misère et le malheur peut tout aussi aisément faire place à celle consistant à se réjouir allégrement dans un nouveau et perpétuel bonheur.

Après être enfin parvenu à une compréhension encore assez primitive de toutes ces révélations extraordinaires qui ont un rapport avec le bonheur, sa défénition et sa notion, j'ai cru bon de vous présenter les principales assises du bonheur en 33 *leçons. Il est bien certain que le présent livre ne se définit pas comme une sorte de bible infaillible du bonheur. De ceci, je suis tout à fait conscient. Cependant, même présenté sous une forme aussi simple, je crois sincèrement que l'ensemble des « 33 leçons du bonheur » qui sont exposées dans ce présent ouvrage vous apportera quelque chose de positif. Dix années d'observation assidue, autour de moi et en moi, constituent tout de même un laps de temps révélateur afin d'être en mesure de me faire une idée assez précise au sujet du bonheur, les causes de son absence, les divers moyens de le saisir afin d'y goûter intensément à tous les instants de chaque jour de sa vie.*

Aussi étrange que cela puisse paraître, il est encore possible, même durant nos jours assombris par le doute, l'indifférence, la mésentente et la difficulté généralisés de saisir fermement le bonheur légitime auquel aspire tout être humain sensé. Oui, même à notre époque de ténèbres profondes, le bonheur est là tout autour de chacun de nous. Il est GRATUIT. Et il ne demande pas mieux que de se laisser découvrir, cueillir et savourer pleinement par quiconque le VEUT bien. C'est là en effet la seule condition à remplir: VOULOIR vraiment être heureux, rien d'autre.

Peut-être sera-t-on un peu surpris en examinant les pages qui suivent de ne pas découvrir quelque moyen permettant de s'enrichir rapidement, ou encore indiquant comment s'y prendre pour pouvoir enfin dominer ses semblables. De tels objectifs égoïstes n'ont pas leur place dans ce livre. Non, car mes longues années d'observation n'ont pas manqué de m'indiquer que le bonheur, le VRAI bonheur ne se trouve pas dans l'abondance matérielle, sauf de très rares exceptions, ni dans la domination éhontée de ses frères: les humains.

Certes la vie n'est pas toujours facile à supporter. Ceci aussi j'ai eu souvent l'occasion de l'observer, de le vivre même. Néanmoins, malgré tous ces coups fatals que nous assènent parfois, et même souvent, les dures réalités de l'existence, il importe de toujours bien garder présent à l'esprit que pour le sage, l'être vraiment intelligent et exceptionnel qui s'exerce à voir et à bien sentir la vie, chaque nouveau matin est là au rendez-vous, fidèle et ensoleillé, apportant avec lui son panier d'innombrables «petis bonheurs» de tous les instants. Et il ne s'aurait en être autrement; car comment peut-on définir la vie sinon une palpitante aventure éternelle dont la seule mission consiste à créer du bonheur en abondance pour le profit des créatures faites à l'image et à la ressemblance de l'Auteur de nos vies, le Dieu HEUREUX!

Louis-Nil Fortin

Première partie

LE
BONHEUR
ET
SOI-MÊME

1

Le bonheur est partout et nulle part

«On parcourt le monde à la recherche du bonheur pour finalement le trouver sur le seuil de sa porte en rentrant chez soi.» La plupart des personnes que j'ai interrogées au sujet du bonheur m'ont déclaré qu'elles n'avaient jamais été vraiment heureuses. Et presque toutes m'ont mentionné que le bonheur ne devait être l'apanage que d'une minorité d'êtres humains privilégiés.

Au fait, qu'est-ce que le bonheur? Est-ce un habit dont on se revêt un jour pour ensuite l'ignorer le lendemain? Le bonheur dépend-il de circonstances quelconques de la vie? Est-il possible d'être sans cesse heureux? Où se trouve exactement le bonheur? Comment s'assurer une vie heureuse et sans cesse débordante, palpitante de joie? Que de questions au sujet du bonheur, n'est-ce pas!

Il est une chose dont il importe de prendre conscience immédiatement: il n'est pas possible de vivre une vie heureuse de «tous les instants» car autrement, comment serait-il possible de savourer pleinement le bonheur s'il n'était accompagné d'une certaine somme d'inconvénients? C'est un peu comme la nourriture; comment serait-il possible de savourer pleinement un bon repas si on mangeait vingt-quatre heures par jour?

Toute personne qui tient à s'assurer une vie heureuse dans son ensemble doit absolument prendre conscience du fait que le bonheur ne dépend pas toujours des circonstances qui nous entourent, qui sont extérieures à la personne elle-même. Certes, un compliment encourageant venant d'un être cher peut nous réjouir et nous inciter à faire mieux. Aussi, la paix universelle, la beauté de la nature et l'harmonie conjugale peuvent nous réconforter. Mais doit-on se priver de bonheur dans le cas où personne ne nous adresse de compliment; s'il n'y a pas de paix sur la terre, si notre planète ressemble plutôt à un dépotoir qu'à un paradis et si dans plus de neuf foyers sur dix, c'est plutôt la guerre que la paix qui prédomine? Il convient donc de bien graver dans son esprit que le bonheur ne dépend pas uniquement des circonstances extérieures de l'être concerné, mais qu'il est plutôt toujours présent à nos côtés et qu'il ne demande pas mieux que se laisser cueillir et déguster aussi souvent qu'on le désire.

Que de fois ai-je entendu dire: «Je serais plus heureux si je gagnais plus d'argent...», «Je serais beaucoup plus heureuse si j'étais moins replète...», «Je serais plus heureuse si j'avais un meilleur mari...», «Je serais plus heureux si je pouvais enfin trouver l'emploi de mon choix...», «Je serais plus heureux si je pouvais gagner à la loterie...», «Je serais plus heureux si mes ventes augmentaient...»

Portez bien attention à ce qui se dit autour de vous, et souvent en vous, et vous serez très surpris de constater jusqu'à quel point la plupart des gens se condamnent à une vie malheureuse du seul fait de leur insistance à vouloir à tout prix faire dépendre leur bonheur des innombrables circonstances de la vie, circonstances qui sont presque toujours au-delà des limites de la volonté personnelle de la personne qui n'hésite pourtant pas à dire que le bonheur n'est pas fait pour elle.

Le bonheur ne dépend pas de l'argent, ni de l'emploi, ni de l'entourage, ni de la beauté, ni de la popularité, ni de la gloire. Après la mort d'Elvis Presley, on a découvert qu'il s'adonnait à la drogue. Comment une personne pleinement heureuse peut-elle chercher refuge dans la drogue? Pourquoi une telle personne fuit-elle? Marylyn Monroe s'est suicidée. Pourtant, ni l'argent, ni la gloire, ni la beauté, ni la popularité ne lui faisaient défaut. Une personne intensément heureuse songe-t-elle au suicide? On dit qu'Hitler s'est suicidé. Pourtant, ni la gloire, ni la popularité, ni l'emploi, ni la fortune ne lui faisaient défaut. Peut-on dire d'Hitler qu'il avait enfin trouvé le bonheur dans la domination éhontée de ses semblables?

Il y a une couple d'années, une personne infirme, paralysée des deux jambes et constamment assise dans une chaise roulante, m'a déclaré que sa plus grande joie de vivre, ce qui faisait son plus grand bonheur, c'était de se lever tôt le matin afin de contempler le magnifique soleil levant. Eh bien, durant plus de dix ans j'ai questionné des centaines de personnes qui se disaient malheureuses, des personnes bien portantes dotées de deux solide jambes, qui n'avaient jamais même songé à puiser une forme de bonheur quelconque dans la contemplation du soleil lorsqu'il marque le début de nos journées. La bonne santé a-t-elle un rapport quelconque avec le bonheur et la joie de vivre? Non, absolument pas; et plus je vis, plus j'en suis entièrement persuadé. Combien de personnes bien portantes se disent malheureuses! Par contre, il n'est pas rare de rencontrer une personne qui, tout en étant atteinte d'une grave maladie, trouve la force de sourire à la vie et même d'aller jusqu'à nous réconforter de ses paroles encourageantes.

C'est une folie, un suicide même, que de vouloir à tout prix faire coïncider son bonheur avec toutes sortes de circonstances de la vie qui sont bien hasardeuses. S'il en était bien ainsi, si le vrai bonheur dépendait vraiment de tout ce qui nous est étranger, alors plus de quatre-vingt-dix-neuf pour cent des êtres humains qui habitent notre planète n'auraient plus qu'une seule chose à faire: se résigner lamentablement au malheur étant donné que moins d'un pour cent de la population peut espérer se voir doté d'une certaine beauté physique, d'une fortune appréciable ou d'une quelconque popularité. Quiconque donc s'appuie sur certaines circonstances de la vie pour être enfin heureux s'expose à un suicide moral qui ne mène qu'à une issue: une vie malheureuse.

Non, le vrai bonheur n'est pas là où réside la gloire, la richesse, la beauté ou la popularité. Il est bien certain qu'on peut tous éprouver un certain sentiment de satisfaction et de sécurité du fait d'être dôté de certains attributs physiques, d'un confortable capital en banque ou du fait de jouir d'une appréciable popularité parmi ses semblables; cependant, il faut toujours faire une nette distinction entre le fait d'éprouver un certain sentiment de sécurité et de jouir pleinement du vrai bonheur.

Mais où se trouve donc le bonheur? Le bonheur est en partie une attitude d'esprit qui se trouve en abondance en chacun de NOUS. Telle personne éprouvera une grande joie et goûtera pleinement le vrai bonheur en recevant un appel téléphonique d'un être cher, tandis qu'une autre restera absolument indifférente devant l'appel téléphonique de la même personne. Une jeune maman tressaillira de joie devant les premiers pas de son bébé qu'elle aime de tout son coeur, tandis que les mêmes premiers pas de bébé en laisseront bien d'autres totalement indifférentes. Une femme goûtera le vrai bonheur en se laissant caresser par l'élu de son coeur, tandis qu'une autre rugira de rage si jamais le même homme osait la toucher. La contemplation d'une oeuvre d'art réjouira intensément un amateur d'oeuvres d'art, tandis que le même chef-d'oeuvre en laissera de nombreux autres indifférents. Contempler un magnifique coucher de soleil extasiera plusieurs; mais laissera le reste de l'humanité tout à fait indifférent devant un spectacle aussi charmant. Ecouter la musique, faire du ski, effectuer une randonnée en forêt, voilà qui rendra plusieurs personnes heureuses. Et pourtant ces mêmes choses n'effleureront même pas la sensibilité de beaucoup d'autres.

Et on pourrait ainsi allonger la liste des contrastes qui démontrent bien que le bonheur est tout simplement une question d'attitude d'esprit PERSONNELLE vis-à-vis des «petits riens», ces «petits riens» de la vie qui sont pourtant à la portée de tous les êtres. Et étant donné qu'une attitude d'esprit peut facilement nous entraîner sur le chemin de l'habitude, on peut donc aisément parvenir à s'habituer au bonheur. Il suffit de toujours penser «bonheur» en s'exerçant à voir du bien, du bon, de l'utile et de l'agréable dans tout ce qui nous entoure. Finalement, la pensée du bonheur exerce une telle influence sur nos attitudes mentales à l'égard de la vie en général qu'on ne peut faire autrement que de s'habituer à vivre une vie heureuse, c'est-à-dire puiser constamment du bonheur dans les toutes petites choses de la vie, ces «petits riens» qui procurent d'innombrables «petits bonheurs» à certains sans même parvenir à faire palpiter le coeur de nombreuses autres personnes.

L'habitude du bonheur ressemble un peu à l'habitude du respect du code des lois qui régissent la vitesse sur nos routes. Certains conducteurs de véhicules automobiles sont toujours en train d'enfreindre le code de la route tandis que d'autres conducteurs n'éprouvent aucune difficulté à respecter ce même code routier. Il en est ainsi du manger. Certaines personnes éprouvent toutes les difficultés au monde à se contrôler et elles engraissent constamment, tandis que d'autres ne semblent pas avoir de difficultés à se contrôler.

Et le même principe s'applique aussi dans le boire, le repos, la détente, dans les relations avec ses semblables et au travail. Qu'est-ce qui fait que certaines personnes éprouvent tant de difficultés à respecter les lois du code de la route ou de la vie tandis que pour d'autres, le respect de ces mêmes lois leur semble si facile? Tout simplement à cause de l'habitude. Tout dans la vie est une question d'habitude. Nos pensées influencent nos attitudes, nos attitudes créent les habitudes, les habitudes deviennent des penchants et finalement, ceux-ci font et forment le caractère. On voit donc jusqu'à quel point le fait d'exercer ses attitudes de vie pour en faire de solides habitudes de bonheur et de joie de vivre peut s'avérer bénéfique pour une personne qui aspire au vrai bonheur.

Notre génération a développé la pensée malsaine de croire qu'il est possible d'être heureux sans travailler, sans produire; qu'il est possible d'être vraiment heureux en jouissant le plus possible de toutes les déviations sexuelles; qu'il est possible d'être heureux en s'adonnant à la drogue; qu'il est possible d'être heureux en ignorant ses semblables et cultiver le culte du «moi»; qu'il est possible de trouver le vrai bonheur dans l'abondance des ressources matérielles. On n'a qu'à regarder tous ces visages tristes et défaits par l'amertume, la haine et le malheur pour vite se rendre compte que le bonheur, le VRAI bonheur de vivre n'a pas lieu de résidence là où habitent l'oisiveté, la déviation sexuelle, la décadence morale, la drogue ou l'égoïsme.

Pour être heureux et être en mesure de goûter pleinement tous les innombrables «petits bonheurs» qui jalonnent notre existence personnelle, il est très important de chercher le bonheur là où IL SE TROUVE réellement. Tant de gens ne parviennent pas à découvrir, puis à savourer le vrai bonheur pour la bonne raison que, d'une part, ils ne cherchent pas, et d'autre part, ils cherchent au mauvais endroit. «Continuez à chercher et vous trouverez...( )... Car quiconque cherche, TROUVE...( )... Et à celui qui FRAPPE l'on ouvrira.» Ces paroles du Maître des maîtres s'appliquent tout aussi bien au bonheur qu'à la connaissance exacte de la vérité évangélique. Pour trouver le vrai bonheur, il faut d'abord CHERCHER au bon endroit; et pour goûter, savourer pleinement le vrai bonheur, il faut FRAPPER, c'est-à-dire bien utiliser les bons outils et matériaux du bonheur qui sont à la disposition de chacun de nous.

Maintenant, quels sont ces outils et ces matériaux qui sont requis pour la création de ces milliers de «petits bonheurs» quotidiens qui peuvent réjouir nos coeurs, ensoleiller nos vies et nous fortifier? Les outils sont nos facultés mentales de réflexion, de discernement et de raisonnement. Quant aux matériaux, ce sont toutes ces minimes particules de temps, de circonstances, d'événements divers et d'humanisme qui sont jetés çà et là sur la route de notre vie. Etant donné que nous sommes tous dotés des merveilleux outils mentaux nécessaires à la création de nos «petits bonheurs» et que les matériaux sont là en abondance tout autour de chacun de nous, il ne reste plus qu'une seule chose à faire: cueillir tout ce bonheur gratuit qui est à notre portée, le goûter pleinement, le savourer à satiété; et ensuite, le semer dans le coeur de nos semblables, ceux que nous côtoyons quotidiennement. Comme le chante si bien Roger Whittaker, le bonheur, n'est-ce-pas de «voler un peu de miel de milliers de fleurs»?

2

Apprenez à vous aimer

«On n'affirme que ce que l'on aime!» J'ai inséré la présente leçon tout au début de mon livre parce que je suis de plus en plus convaincu qu'à la base de tout vrai bonheur, il y a d'abord des individus qui s'aiment personnellement. Si notre génération est de plus en plus marquée par le divorce, la décadence morale, la violence sous toutes ses formes et à tous les nivaux, l'infidélité quelle qu'elle soit; des épidémies qui font de plus en plus de ravages, telles les cancers, les maladies du coeur, les vénériennes, toutes ces calamités qui nous frappent de plein fouet sont en grande partie dues au fait que la plupart des êtres de notre temps n'ont aucun amour envers «eux-mêmes».

Le manque d'amour envers soi-même incite une personne à se détruire et l'accroissement phénoménal du taux de suicides que l'on constate avec effroi à notre époque constitue là un baromètre assez précis nous permettant de mesurer le degré d'amour personnel qui prévaut actuellement.

Il est un très vieux, mais efficace commandement qui ordonne d'aimer son prochain comme soi-même. En y réfléchissant bien, on ne tarde pas à comprendre pour quelle raison il apparaît si difficile aux individus de notre époque de s'entendre et de se supporter les uns les autres. Dans certaines parties du monde, on ferme les robinets des puits de pétrole en guise de riposte politique; et dans d'autres parties du globe, on ferme à clé les greniers alimentaires en guise de vengeance. Tandis que des nations entières sont menacées de famine et d'extinction, d'autres nations, elles, se limitent à des voeux tout en gaspillant honteusement la nourriture. Et voici maintenant le pire: alors qu'on se plaint du coût élevé des impôts et de la hausse décourageante du coût de la vie, l'ensemble des nations du monde trouve le moyen de gaspiller environ un milliard et quart de dollars chaque jour en armements de guerre. Ici même au Québec, les dirigeants offrent maintenant des subventions à tout groupe d'individus qui découvrent de nouvelles méthodes de répression de la criminalité. Oui, en réfléchissant bien à ce qui se passe présentement dans notre monde, il est plus qu'évident que l'amour du prochain, le véritable amour fraternel ne prédomine pas de nos jours.

En se basant sur le fait que l'amour du prochain n'est rendu possible que grâce à l'amour personnel que se témoigne un individu, il est donc évident que ce qui fait défaut dans notre monde, c'est le manque d'amour de soi. Il est bien certain que l'amour envers Dieu est d'abord la pierre angulaire permettant de se construire, et aussi de jouir d'un bonheur durable et indéfectible. Cependant, s'aimer SOI-MEME devient aussi nécessaire à quiconque veut goûter pleinement de tous ces «petits bonheurs» semés çà et là sur le chemin de notre vie par la vie elle-même.

Durant les dix années qu'ont duré mes recherches sur le bonheur, je fus maintes et maintes fois effrayé de constater jusqu'à quel point, de nos jours, tant de gens s'aiment si peu. Et étant donné qu'on ne peut vraiment affirmer et rendre heureux que ce qu'on aime sincèrement, est-il alors surprenant de constater que la plupart de nos semblables sont le plus souvent plongés jusqu'au cou dans le malheur, le découragement et le désenchantement envers la vie?

Dans la présente leçon, je ne veux pas parler de cette sorte d'amour égoïste, ou culte de «soi» qui incite tant de personnes à vivre et à laisser vivre sans se soucier guère de leurs semblables. Nous avons tous besoin des autres et sans l'affection, la compréhension et la sollicitude de notre prochain, toute trace de vie ne tarderait pas à disparaître de la terre; ce qui ne semble pas impossible quand on considère la façon dont les événements se déroulent actuellement.

Le genre d'amour de soi-même dont je fais mention ici est celui qui a un rapport très étroit avec la bonté. Un proverbe biblique dit que l'«Homme bon, c'est celui qui fait du bien à sa propre chair». Donc, quand je parle de l'importance de s'aimer soi-même, j'ai à l'esprit cette sorte d'amour qui incite un individu à se témoigner de la bonté, une bonté légitime qui contribue inévitablement à son propre bonheur.

Le mari et père qui ne se soucie pas de sa femme ni de pourvoir aux besoins affectifs, émotifs et spirituels des siens, ne s'aime pas vraiment et n'est pas bon envers lui étant donné que tôt ou tard, l'insouciance de cet homme se retournera contre lui. La mère et épouse qui se montre indépendante ou infidèle ne s'aime pas et ne manifeste aucune bonté envers elle-même car tôt ou tard, sa mauvaise attitude se retournera contre elle. L'employé qui est nonchalant au travail et qui accomplit de la mauvaise besogne ne s'aime pas et n'est pas bon envers lui-même puisqu'un jour ou l'autre, l'entreprise qui l'emploie perdra ses clients et devra fermer ses portes; le résultat ne sera autre que de se retrouver sur le banc des chômeurs.

L'étudiant qui n'étudie pas et se montre insouciant à l'école ne s'aime pas et ne fait preuve d'aucune bonté envers sa personne étant donné que tôt ou tard, il devra peut-être rejoindre les rangs des chômeurs diplômés. La jeune fille qui s'empiffre de toutes sortes de pâtisseries ne s'aime pas et n'est pas bonne envers elle-même, et tôt ou tard, elle se retrouvera obèse, enlaidie, malade et profondément malheureuse. L'individu qui fait abus de boissons alcooliques ne s'aime pas et n'exerce aucune bonté envers lui-même. Un beau jour, il se retrouvera alcoolique, malade, chômeur, délaissé des siens et certainement malheureux. L'adolescent qui s'adonne à la drogue ne s'aime pas et n'est pas bon envers lui-même étant donné les conséquences désastreuses dont tout son être, tant au point de vue physiologique, psychique et affectif, aura à pâtir.

La jeune fille qui s'adonne à la fornication, l'homme marié qui se livre à l'adultère, le jeune homme qui commet un hold-up, le voisin qui se querelle avec son meilleur ami, le jeune enfant qui donne un coup de pied à son chien, l'homme d'affaires qui se montre dur envers ses employés et qui triche dans ses déclarations d'impôt; tous ces gens-là et bien d'autres démontrent une chose bien évidente par leur conduite: ILS NE S'AIMENT PAS. Et quand on ne s'aime pas, on n'est jamais bon envers soi-même.

Le jeune homme qui triche aux examens de fin d'année, l'ouvrier qui fournit du travail médiocre, le mari et père qui rudoie les siens, l'épouse qui essaie de rivaliser avec son mari; le glouton qui se bourre l'estomac à longueur de journée, l'homme querelleur qui insulte autrui, la prostituée qui flirte, l'homme d'affaires qui ne respecte pas sa parole, en somme, tous ceux et celles qui «trichent avec la vie», qui brisent les principes d'harmonie qui en constituent la base, ne sont pas bons envers eux-mêmes, ne S'AIMENT PAS.

Il importe de bien comprendre que tout dans la vie est régi par l'indéfectible loi de la semence et de la récolte. Dès qu'une graine quelconque est mise en terre, elle ne tarde pas à germer le plus souvent; et au bout de quelque temps, elle porte du fruit, bon ou mauvais. Et une graine produit toujours l'exacte reproduction de son espèce, mais en plus grande quantité. Qu'on sème des graines de navets, des carottes, de la rhubarbe ou des graines de citrouilles, on doit toujours s'attendre à récolter que ce qu'on a semé, mais en plus grande quantité.

Le mari cruel, l'épouse infidèle, l'enfant ingrat, l'ouvrier nonchalant, l'étudiant paresseux, la jeune fille qui se prostitue, l'adolescent qui vole et se drogue, voilà des êtres qui ne s'aiment pas en ce sens qu'ils sèment des graines de malheurs futurs dans les sillons de leur vie présente. Et un beau jour, qu'ils le veuillent ou non, tous ces gens-là ne récolteront, mais en plus grande quantité, que l'exacte réplique des petites graines de malheurs quotidiens qu'ils avaient nonchalamment semées un peu plus tôt dans leur vie.

L'amour et la bonté envers soi vont donc de pair. Cultiver la bonté envers soi-même, c'est apprendre à s'aimer; et cultiver l'amour de soi-même, c'est semer dans les sillons de sa vie de tous les jours des graines de nombreux «petits bonheurs», présents et futurs.

Le mari qui se montre bon envers lui-même et qui s'aime légitimement travaillera à son bonheur présent et futur; et il y parviendra en se montrant aimable, compréhensif et sollicitant envers les siens. L'épouse qui se montre bonne envers elle-même et qui s'aime vraiment travaillera à son bonheur présent et futur; et elle y parviendra facilement en se montrant fidèle, en coopérant avec l'élu de son cœur. L'enfant qui se montre bon envers lui-même et qui s'aime travaillera à son bonheur; et il y parviendra en se montrant obéissant envers ses parents, en coopérant avec eux. L'ouvrier qui se montre bon envers lui-même et qui s'aime travaillera à son bonheur; et il y parviendra en prenant à cœur les intérêts de l'entreprise qui l'a engagé, en fournissant du bon travail. L'étudiant qui se montre bon envers lui-même et qui s'aime édifiera son propre bonheur; et il y parviendra en se montrant studieux et discipliné durant ses années d'étude. Et à la fin de ses études, ce jeune homme ne sera pas malheureux du fait de se retrouver diplômé-chômeur. La jeune fille qui se montre bonne envers elle-même et qui s'aime construira son bonheur, et elle y parviendra en se montrant respectueuse envers son corps et en sauvegardant sa chasteté. Elle ne sera pas malheureuse puisqu'il ne lui sera pas impossible de trouver un bon mari, soit le compagnon fidèle qui prendra à coeur ses responsabilités de père et de bon citoyen.

Quiconque se montre bon envers soi-même cultive l'amour légitime de soi et s'applique à semer dans sa vie de tous les jours des petites particules de bonheur qui, inévitablement, ne manqueront pas de donner naissance à de nombreux «petits bonheurs», présents et futurs, mais en plus grande quantité.

Quand on s'aime vraiment, on s'affirme, on se discipline, on respecte la vie et les autres; en somme, on aime, on aide et on se montre bon envers ses semblables. Bien plus, quand on cultive l'amour légitime de soi, on parvient vite à respecter son environnement, à collaborer avec les lois harmonieuses de la nature et de la vie, et finalement, à ressentir le besoin de s'approcher de son CREATEUR.

3

Faites connaissance avec vous-même

Un certain message télévisé diffusé au Québec dit qu'«il faut s' parler». Dans ce message, la bière aidant, on encourage les gens à se parler, à dialoguer entre eux. Mais dans cette troisième leçon du bonheur, «Faut s' parler» s'appliquera à soi-même. En effet, quand le vrai dialogue commence avec soi-même, on apprend à mieux se connaître, à se comprendre davantage; et là où il y a de la connaissance et beaucoup de compréhension, on frise la perfection.

Faire connaissance avec soi-même: voilà une condition essentielle à remplir par quiconque veut goûter le plus grand nombre de «petits bonheurs» possibles durant sa vie. Durant mon humble et vaste enquête sur le bonheur, je fus maintes et maintes fois ému de voir des dizaines de personnes qui se disaient malheureuses pour toutes sortes de raisons.

Je suis malheureuse PARCE QUE je suis trop grosse...
Je suis malheureux PARCE QUE je suis malade, infirme...

Je suis malheureuse PARCE QUE mon ami m'a abandonnée...

Je suis malheureux PARCE QUE j'ai perdu mon emploi...

Je suis malheureuse PARCE QUE mes amies ne me parlent plus...

Je suis malheureuse PARCE QUE mon mari m'a abandonnée...

Je suis malheureuse PARCE QUE j'ai échoué à mes examens...

Etc..., etc... Je suis malheureux PARCE QUE! Je suis malheureuse PARCE QUE! Parce que...! Parce que...! Que de fois ai-je rencontré de ces personnes qui, se bloquant mentalement sur un inconvénient quelconque de la vie, se condamnent à végéter dans une existence malheureuse «Parce que ceci...! Parce que celà!»

Il est bien certain qu'il n'est pas réjouissant pour un père de famille de perdre son emploi, ni pour une épouse d'être abandonnée par son mari ou pour qui que ce soit de se voir condamné à vivre le reste de son existence dans une chaise roulante. Cependant, un inconvénient quelconque de la vie, si malheureux soit-il, ce malencontreux coup du sort mérite-t-il qu'une vie soit à jamais gâchée par le malheur? Se réfugier dans l'alcoolisme, se livrer à l'inaction et à l'oisiveté, ce n'est pas là le genre d'actes à poser, les processus à suivre pour résoudre son problème. Se replier sur soi-même, se décourager et se rendre inutilement malheureux, ce n'est pas là le genre d'attitude qui remplacera la solitude. Se plaindre de son sort, maudire la vie et désirer mourir, ce n'est pas là non plus la bonne attitude qui améliorera son malheureux sort résultant d'un grave accident.

Perdre un emploi, être abandonnée par un mari égoïste, être attristé par l'embonpoint, subir un échec aux examens, être handicapé physiquement, certes ce sont là des circonstances malheureuses de l'existence qui n'ont rien de réjouissant, mais se condamner à végéter dans une existence malheureuse toute sa vie A CAUSE d'un hasard malheureux, ce n'est pas là non plus la solution la plus logique qu'on puisse choisir.

En préparant les notes de ce livre, après le manque d'amour personnel que se témoignent la plupart des personnes interrogées, ce qui m'a le plus touché, c'est de voir jusqu'à quel point les gens se résignent à mener une vie malheureuse en considérant sans cesse le côté négatif de leur vie.

Par contre, j'ai aussi rencontré quelques personnes qui, bien qu'ayant fait face à certaines dures réalités du sort, n'ont pas manqué de m'encourager par le récit de leur vie.

Vous avez certainement déjà entendu parler de Claude Saint-Jean. Ce sympathique garçon serait supposé, selon le pronostic de certains médecins qualifiés, être dans la tombe à cause de sa grave maladie. Cependant, bien loin d'être en train de dépérir, Claude Saint-Jean est tellement débordant d'entrain, d'optimisme, de joie et de goût de vivre qu'il fait présentement honte à tous ces individus qui, bien que dotés d'une solide constitution physique, se plaignent de la vie, sont malheureux et se traînent lamentablement accrochés à l'assurance-chômage ou au bien-être social.

J'ai connu une jeune femme de trente-cinq ans qui venait d'être abandonnée par son mari. Quelques mois plus tard, son jeune fils d'une douzaine d'années, dont elle s'occupait affectueusement, s'est noyé en se baignant avec des compagnons. Aujourd'hui, je rencontre cette même femme et qu'est-ce que je constate? Une femme triste et malheureuse? Une femme qui n'a plus qu'un but dans la vie: mettre fin à son existence? Non, rien de tout cela! Récemment, ma femme et moi nous lui avons rendu visite. Et combien fut agréable la soirée passée en sa compagnie. Elle est un être réellement ouvert à la vie, une personne pleine d'enthousiasme et d'optimisme. Elle nous a encouragés et nous a communiqué le goût de continuer à vivre pleinement grâce à ses édifiantes et stimulantes conversations.

Depuis ma plus tendre enfance, je désirais faire carrière dans le monde de la littérature. Je voulais devenir écrivain mais pour toutes sortes de circonstances, surtout à cause de mon manque d'instruction, je m'étais résigné à gagner ma vie en tant que représentant de commerce, voyageant çà et là. Bien que je me plaisais dans l'exercice de mon métier, et que je réalisais des gains assez appréciables, j'étais toujours décidé à concrétiser le rêve qui me tenait tant à coeur: ECRIRE DES LIVRES.

C'est ainsi et pas autrement. On végète lamentablement dans un travail qui ne nous plaît pas; on sacrifie les profondes aspirations de son coeur et bien souvent, on ne sait même pas pourquoi nous agissons ainsi, ou plutôt nous n'agissons pas. Et un jour, le «miracle» s'est produit, miracle qui a fait qu'aujourd'hui, j'écris des livres.

Comment y suis-je parvenu? Voici comment les choses se sont déroulées dans mon cas. Victime d'un malheureux accident qui m'a endommagé la colonne vertébrale, j'ai dû abandonner mon métier de voyageur de commerce. Il m'était même pénible de conduire une automobile, et bien malgré moi, il me fallait gagner ma vie d'une autre façon et dans un domaine différent. Mais à l'époque, aveuglé par ce dur coup assené par le destin, j'ai passé une couple d'années à me faire du souci, à essayer de travailler ici et là, à me rendre inutilement malheureux sans trop savoir quel genre d'emploi me conviendrait le mieux.

Et voilà que subitement, le «miracle» se produit. Je tombai sur un article d'une revue, article parlant des «Diamants». Quand j'appris qu'un diamant pouvait avoir plusieurs facettes, j'en fus étonné. Je savais depuis fort longtemps qu'un diamant était doté de cinquante-huit facettes. Mais ma joie miraculeuse, si je puis ainsi m'exprimer, ce fut de lire cet article au bon moment, à un tournant de ma vie où je joignais le pessimisme au malheur; à une époque de circonstances alarmantes où les yeux de ma compréhension se trouvaient aveuglés comme par une muraille érigée par les pierres de l'existence.

Plus je réfléchissais aux diamants et à leurs nombreuses facettes, plus je comprenais enfin jusqu'à quel point j'étais stupide de végéter ainsi dans le doute, le pessimisme et le malheur sans penser à explorer les innombrables autres facettes de ma propre personne: ma personnalité.

J'ai commencé par me détourner les yeux de cette période, ou facette sombre de mon existence, et petit à petit, je réalisais combien mon potentiel et mes possibilités pouvaient être illimités. Je découvris que j'étais doté de tant d'autres possibilités mentales, des atouts qui m'étaient propres, bien à moi, non à personne d'autre. Et aujourd'hui, loin de maudire ce malheureux accident qui endommagea ma colonne vertébrale, je brûle du désir de le bénir. N'eut été cette cruelle pierre que la vie m'avait subitement lancée, je ne serais pas en train d'écrire des livres, je serais toujours occupé à vendre du fromage, des biscuits et toutes sortes de produits en me disant sans cesse qu'«un de ces jours»...! Au fait, savez-vous ce que cela veut dire vraiment «UN DE CES JOURS»? Cela veut tout simplement dire: «JAMAIS».

On dit qu'avec les pierres que lui lance le destin, le sage, l'être vraiment exceptionnel, apprend à se faire des points d'appui qui lui permettront de s'élancer plus loin, de s'élever davantage. Non pas de s'élever dans le but enfantin de dépasser les autres mais bien de se surpasser LUI-MEME. En effet, quand un honnête travailleur perd son emploi, quand la maladie et l'invalidité frappent, quand on échoue aux examens, quand l'élu de son coeur s'enfuit, quand l'embonpoint se fait de plus en plus menaçant, quand la querelle éclate, ce sont tous là des évènements malheureux qui peuvent facilement se comparer à autant de pierres qui nous sont lancées par la vie, les divers hasards de l'existence. Bien que ces pierres endommagent, ou détériorent parfois à jamais une facette quelconque de notre existence personnelle, de notre vie à nous, il est très important de s'interroger et se demander si nous, les êtres humains qui sommes bien pensants et intelligents, n'était-ce ces pierres, qui font mal, il est vrai, qui nous sont régulièrement lancées par la vie, aurions-nous seulement le courage et la force nécessaires de nous réveiller enfin et d'explorer les autres facettes de notre personne, de notre être, soit de NOUS-MEMES?

Chacun de nous, nous naissons avec des possibilités mentales, spirituelles, affectives et émotives qui sont grandioses. Nous venons au monde, au sein d'une famille, et nos parents, qui sont souvent bien intentionnés, nous façonnent et nous programment de telle façon qu'inévitablement, un jour ou l'autre, nous penserons et agirons comme eux, ou à peu près. Et sans trop savoir pourquoi, nous entrons dans le feu de l'activité des relations humaines avec la certitude, pour la jeune fille, que TOUS les hommes sont des égoïstes qui ne pensent qu'à «ça»; et pour le jeune homme, que c'est de la faute du gouvernement si les jobs sont rares, et que de toute façon, c'est toujours les «autres» qui sont responsables de nos malheurs et qui sont à blâmer. Et plus tard, beaucoup plus tard, on entendra cette même jeune fille qui, devenue grand-mère à son tour, tiendra le même raisonnement que son aïeule: «Ma petite fille, dira-t-elle à sa descendante, fais très attention; il faut toujours se méfier des hommes, car j'en sais long; si tu savais!»

Et beaucoup plus tard, on verra le jeune garçon, devenu grand-père à son tour, tenir le raisonnement suivant à son petit-fils: «Mon petit, je dois te dire une chose. C'est la faute des gouvernants s'il n'y a pas d'emplois. Les «autres» sont responsables des divers malheurs auxquels j'eus à faire face durant ma triste existence!»

Mais pourquoi se résigner à transmettre, de génération en génération, tous les malheurs de ses ancêtres alors que chaque être humain est une nouvelle créature, tellement merveilleuse, remplie de tant d'espoirs de bonheurs et dont les possibilités sont pratiquement incommensurables? Chaque être humain qui fait son entrée en ce monde est un être original, et à chaque nouvelle naissance, le moule se modifie. Bien que tous les êtres soient dotés d'un corps de chair qui soit à peu près identique à celui de ses semblables, les possibilités mentales, elles, sont fort différentes; et les facultés de penser et d'agir, si nombreuses soient-elles, sont tout à fait particulières.

Certes, il nous est tous avantageux de grandir au sein d'un foyer, entouré des soins affectueux d'une mère aimante et d'un père compréhensif. A la suite des premières années de notre existence vécue à l'ombre du toit familial, nous avons reçu un certain nombre de données, les unes positives et les autres négatives. Nos parents, par leurs paroles et leurs actions, nous ont préparés de telle façon qu'à notre tour, nous percevons maintenant le monde avec les «yeux» de nos parents et non avec nos propres «yeux» de compréhension, d'entendement et de discernement. C'est la raison pour laquelle nous voyons aujourd'hui autant de jeunes gens qui, alors qu'ils font leurs premiers pas adultes dans notre monde, sont déjà découragés de la vie, sont pessimistes à en mourir, n'ont aucun esprit d'initiative et bien souvent, avant même d'avoir réussi à gagner leur premier dollar, ils échouent dans l'armée des chômeurs ou des assistés-sociaux.

Il est bien certain que le bagage de données positives reçues au foyer nous servira grandement durant toute notre vie. Cependant, ce qui nous servira encore plus, c'est de détourner à jamais les yeux de toutes les données négatives reçues et de se mettre immédiatement à la tâche afin d'explorer les innombrables autres facettes de SA PROPRE personne. Il faut laisser en arrière les données négatives reçues pendant l'âge de l'enfance et celui de l'adolescence et se parler à soi-même en se disant fermement que l'avenir, la vie future, la joie de vivre, notre bonheur à nous, que tout cela commence avec «nous» et non avec les «autres».

Cessez donc une fois pour toutes de considérer l'avenir, votre avenir, à partir de la contemplation négative des facettes assombries par l'amoncellement des pierres lancées par les divers hasards de la vie. Si la vie vous a lancé une pierre de circonstances malheureuses quelconques et que cette pierre a endommagé une facette quelconque de votre être, dites-vous bien que cette même pierre n'a pas pu atteindre les innombrables autres facettes de vous-même.

Un jour, j'observais un petit enfant qui jouait à la balle sur le mur blanc de notre maison. Sa balle était tout imbibée de boue. On s'imagine facilement ce qui est arrivé à ce mur blanc. Ma première réaction fut de me mettre en colère et d'aller voir les parents de l'enfant «X» et de leur dire en face jusqu'à quel point leur progéniture pouvait être mal élevée.

Je ne sais pas pourquoi j'ai voulu agir aussi promptement. Néanmoins, avant de mettre mon projet à exécution, j'eus l'idée de jeter un coup d'oeil tout autour de notre maison. Et qu'ai-je découvert? Que les 3 autres murs étaient propres, conservant un blanc immaculé. Et une fois arrivé à portée du charmant petit j'ai compris jusqu'à quel point j'étais sur le point de commettre une gaffe irréparable. Il est vrai qu'un mur, soit une «facette» de la maison était sali par la balle (une pierre de la vie) mais, en explorant les autres facettes de notre maison, je n'ai pas tardé à découvrir qu'il y avait toujours trois autres murs (ou facettes) qui étaient propres. Imaginez! J'allais attrister un petit enfant innocent qui avait tout de même le droit légitime de s'amuser. J'allais me quereller avec mes voisins, d'excellents voisins. J'étais sur le point de m'emporter, ce qui nuit à la bonne digestion et au bon fonctionnement du coeur. Mon esprit allait se concentrer sur une facette endommagée par une pierre hasardeuse lancée par la vie et par conséquent me rendre inutilement malheureux alors que tant d'autres facettes ne demandaient pas mieux qu'à être explorées et contemplées.

Se parler, c'est faire connaissance avec soi-même. Faire connaissance avec soi, c'est explorer les nombreuses facettes encore non explorées de son être, de sa personne. Et que d'atouts, que de possibilités on découvre en s'explorant. Le cerveau humain est composé d'environ une trentaine de milliards de circuits. On n'a qu'à contempler les chefs-d'oeuvre en architecture, en peinture, en musique, pour vite s'émerveiller des innombrables «miracles» qui peuvent être rendus possibles par la pensée, dont chacun de nous est doté: la merveilleuse faculté de PENSER. Des facultés comme celles qui consistent à raisonner, à tirer des conclusions logiques, à planifier sont là des outils formidables qui sont toujours à notre portée et avec lesquels nous pouvons sans cesse reconstruire notre vie.

Que dire maintenant de tous ces autres matériaux dont nous sommes dotés en abondance et avec lesquels nous pouvons forger tous les bonheurs légitimes dont on veut profiter? En effet, les possibilités de cultiver notre amour, notre douceur, notre bonté, notre joie, notre patience, notre longanimité, notre bienveillance, notre foi, notre maîtrise de soi, sont illimitées. Ce sont là des matériaux de bonne qualité qui peuvent nous permettre de goûter à de nombreux «petits bonheurs» quotidiens du seul fait de les cultiver en soi, de les pratiquer et de les semer tout autour de soi à longueur de journée.

Quand on réfléchit sérieusement à tous les atouts merveilleux et grandioses dont nous sommes dotés et qu'on se met tout à coup à réaliser que de nos jours, plus de quatre milliards d'êtres comme nous sont aussi dotés de ces mêmes atouts que nous, notre entendement est vite dépassé en pensant un instant à toutes les possibilités de bonheur qui se trouvent à la portée de la race humaine.

Plutôt que de «bloquer» son esprit sur une facette de sa vie qui a pu être endommagée, touchée par une pierre malheureuse du hasard de l'existence, et ainsi se résigner à végéter, il faut plutôt se parler à soi-même en explorant graduellement les innombrables et merveilleuses autres facettes de sa personne, de SOI-MEME. Et plus on progresse dans cette exploration, plus on est émerveillé de découvrir jusqu'à quel point peuvent être étendues ses possibilités de réussite, de joie de vivre et de bonheur incommensurable de tous les instants.

Un grand savant de notre temps eut à dire que «la majorité des êtres humains profitaient à peine d'environ deux pour cent de leurs facultés mentales». Si un être humain est capable de se créer autant de malheurs en se bloquant lamentablement sur une seule facette dévaluée de son être, on peut alors assez facilement imaginer toute la somme de «petits bonheurs» quotidiens dont aurait pu jouir cette même personne si, par contre, elle s'était mise à explorer les nombreuses autres facettes de possibilité dont elle est dotée.

Alors pourquoi se résigner à végéter lamenta-blement en restant accroché aux sombres «ALEAS» de la vie et en s'apitoyant sur l'état d'esprit souvent négatif des autres, tandis que des nouvelles avenues de paix, de joie de vivre et de bonheur s'offrent sans cesse à nous les bras ouverts dès l'instant où on parvient enfin à mieux se connaître soi-même?

4

Cessez donc
de vous sous-estimer

Nous vivons dans un monde pas mal complexe. On surévalue les choses et on dévalue les individus. En effet, l'or, matériau de grande valeur mais simple métal quand même, a maintenant atteint des prix astronomiques tandis que l'être humain, lui, tend à s'abaisser davantage. Pourtant, sont-ce les choses ou les êtres humains pensants qui sont au service des uns ou des autres? Les choses ont-elles été créées pour dominer les individus ou les individus ont-ils été créés pour jouir de choses?

Ces dernières années, le nombre sans cesse grandissant de couples qui, tout en cohabitant, refusent absolument de s'engager légitimement dans la voie du mariage légal, m'a fortement frappé. Un jeune homme questionné à ce sujet me confia qu'il avait tellement peur que son mariage n'aboutisse comme celui de ses parents, à un divorce, qu'il préférait ne pas s'y engager et vivre de préférence dans une sorte d'union libre avec celle qu'il aime. Quand je lui demandai ce qu'il adviendrait du petit enfant né de cette union, dans le cas d'une séparation, il me déclara spontanément que le «Bien-être social» s'en chargerait.

Je suis resté bouche bée devant un tel raisonnement. En ce qui me concerne, je n'ai jamais pu me faire à l'idée qu'un être humain qui se qualifie du titre d'«homme» puisse arriver à abandonner le fruit de sa chair sans même se soucier de son bien-être futur ni de combler ses divers besoins affectifs, émotifs, moraux et spirituels.

Un mois après, je m'entretenais calmement avec un jeune père de famille qui se trouvait sur l'assurance-chômage suite de la fermeture de l'entreprise où il travaillait. Après avoir demandé à ce robuste jeune homme ce qu'il comptait faire maintenant qu'il se trouvait sans emploi, celui-ci me répondit, avec autant de spontanéité que l'autre jeune homme cité plus haut, qu'il ne s'en faisait pas le moins du monde. Sa femme travaillait dans un restaurant; il en avait pour près d'un an à vivre sur l'assurance-chômage, après quoi, il s'organiserait pour tirer quelques «piastres» du «Bien-être social». Tout fier de son raisonnement, il s'en alla rejoindre ses copains à la brasserie.

Je suis pourtant convaincu que même inconsciemment, il ne doit pas y avoir de pères qui puissent se ficher du sort de leur progéniture; ni des hommes travailleurs qui puissent se considérer pleinement heureux en se laissant entretenir par leurs semblables. J'ai fini par déceler qu'au fond de ces attitudes de désintéressement vis-à-vis des responsabilités qui leur incombent, les gens se moquent des conséquences de leurs décisions tout simplement parce qu'ils ont «peur» d'affronter courageusement la vie et ses responsabilités. Les individus qui doutent d'eux-mêmes, de leurs possibilités, de leurs capacités et qui se sous-estiment, soit la plupart de ceux qui se fichent des conséquences de leurs décisions, agissent de la sorte pour la bonne et simple raison qu'ils sont témoins des échecs d'autrui; ce qui les pousse finalement à penser, puis à croire fermement que toute espèce d'action positive de leur part est d'avance vouée à un échec certain. Ils ignorent, comme disait Alphonse Henriquez: «Que la réussite est une femme jalouse qui n'admet pas qu'on doute d'elle et réclame pour se donner qu'elle soit violentée.»

En lisant un livre dont le titre m'échappe, je découvris une anecdote assez intéressante au sujet de la réussite et des possibilités humaines. Dans son ouvrage, l'auteur expliquait que plus de quatre-vingts pour cent de toutes les ressources de ce monde étaient entre les mains de moins de vingt pour cent des individus qui composent notre humanité. L'auteur poursuit en disant que s'il fallait partager équitablement toutes les ressources de notre monde en parts égales entre chaque individu, il ne faudrait qu'un vingtaine d'années pour que les choses redeviennent comme aupara-vant, soit que l'on retrouve encore les mêmes quelque vingt pour cent des gens de notre humanité redevenir les maîtres de nos ressources et dominer vraiment les choses plutôt que se laisser dominer par elles et dépasser par les circonstances et les hasards de l'existence.

Jean-Marc Chaput a déjà écrit un livre fort intéressant en rapport avec les possibilités humaines reliées à la réussite. Dans son livre «Vivre c'est Vendre», cet auteur a cité une anecdote très intéressante au sujet des parades. Il démontra que dans notre monde, moins de deux pour cent des gens font «les parades», s'impliquent à fond dans les activités de la vie et font vraiment arriver les choses. Tandis qu'environ huit pour cent des personnes regardent passer les «parades» en se contentant de les admirer sans jamais avoir le courage de se joindre à elles. Et nombre d'entre eux, soit environ quatre-vingt-dix pour cent, ne savent même pas qu'il y a «des parades» qui se font.

En effet, combien de gens ne savent même pas que pour payer les aliments qu'ils mangent, il a fallu les sueurs de leurs semblables! Combien de pères égoïstes ne comprennent même pas que pour subvenir aux besoins quotidiens de leurs femme et enfants abandonnés, il sera nécessaire que leurs semblables qui travaillent versent des sueurs. La plupart de ces gens-là hésitent à s'impliquer à fond dans les «parades» de la vie tout simplement parce qu'ils doutent d'eux-mêmes, qu'ils doutent de leurs capacités et possibilités, et qu'ils ont peur de ne pas être à la hauteur de la situation.

L'être humain, créé à l'image et à la ressemblance de son auteur, n'a pas été créé avec l'objectif de végéter dans le monde sans trop savoir pourquoi il est un être humain. Non! L'être créé à l'image de Dieu a été mis sur la terre pour dominer la vie et se servir pleinement des choses afin de subvenir à ses besoins. Comme on l'a vu dans les leçons précédentes, l'être humain est doté de tant de capacités mentales, spirituelles, affectives et émotives que toutes les possibilités de bonheur lui sont rendu possibles.

Le mari et père qui abandonne sa femme et renie ses enfants sème son propre malheur et rend les autres malheureux. Le chômeur qui refuse de prendre conscience de l'importance de se créer l'emploi qui lui permettra enfin de gagner librement son pain se rend malheureux et impose un lourd tribut à ses semblables. La jeune femme qui ne lutte pas pour son bonheur conjugal, et qui abandonne le combat, se rend malheureuse. Le jeune garçon qui se drogue se rend inutilement malheureux et se fait du tort, un tort souvent irréparable. L'homme qui refuse l'emploi qui lui tient à coeur parce qu'il doute de lui, de ses capacités, se rend inutilement malheureux.

La plupart des maux de notre société sont causés par des individus qui doutent de leurs capacités. Quand on se sous-estime, on se réfugie dans la voie de la moindre résistance, celle du négativisme. Quand on se sous-estime, on choisit le divorce plutôt que la bonne entente; on choisit l'abandon de soi plutôt que de créer son propre emploi. Quand on se sous-estime, on refuse de s'impliquer à fond dans la vie conjugale. Quand on se sous-estime, on noie ses peines dans l'alcool, ou on les étourdit dans la drogue.

La «sous-estime de soi» est une attitude négative qui peut causer des torts très dommageables. Les nations de notre humanité se sous-estiment au point d'être arrivées à s'armer jusqu'aux dents au cas où... On se prépare pour la guerre au cas où l'autre nous ferait du tort. Mais pourquoi ne pas plutôt se préparer pour la paix en se disant que les possibilités d'amour, de longanimité et de paix peuvent être développées à l'infini chez l'être humain à la seule condition de les exercer, tout en faisant la paix avec Dieu?

J'ai eu l'occasion de m'entretenir avec quelqu'un qui venait de se lancer dans les affaires. Il m'expliquait comment il avait pris toutes sortes de précautions légales pour se protéger au cas où les choses tourneraient mal. J'ai dû le rencontrer à nouveau et, à voir son visage négatif, je n'ai pas tardé à comprendre que ses affaires n'allaient pas tellement bien. En effet, il me raconta comment il avait fait faillite quelques mois seulement après le début de son entreprise.

La plupart du temps, on se prépare pour la déception et le malheur alors que l'être humain est doté de tous les attributs qu'il lui faut pour élaborer, planifier et construire ses réussites et son bonheur. Se préparer afin d'attendre quelque chose, c'est se conditionner pour finalement recevoir la chose tant attendue. Quand on se prépare pour aller en voyage quelque part, on se conditionne et on met tout en oeuvre afin d'être en mesure de pouvoir enfin faire le voyage tant espéré. Ainsi, quand on se prépare à recevoir des déceptions et du malheur, il est plutôt rare que ceux-ci ne soient pas fidèles au rendez-vous.

Il y a quelques mois, ma femme et moi avons visité une femme se prétendant très malheureuse en ménage. Son mari sortait beaucoup et de ce fait, elle envisageait la séparation. Mais plutôt que de l'encourager à mettre ses projets à exécution, nous l'avons incitée à ouvrir le dialogue avec son mari. Mais au dire de cette femme, son mari n'était absolument pas abordable. Après qu'on lui eût demandé si elle avait au moins essayé de parler tranquillement avec son conjoint, cette femme, aveuglée par la «sous-estime de soi», de ses possibilités de bonheur, de ses capacités de bonne entente avec autrui, et aussi de celles de son mari, ne trouva pas autre chose à dire que la démarche n'en valait pas la peine puisque de toute façon, il n'y avait rien à faire avec son mari. Et la séparation eut effectivement lieu.

Il est bien certain qu'il n'est pas du tout agréable pour une femme d'être mariée à un mari qui sort tout le temps. Mais à l'opposé de cette femme qui se sous-estimait, j'ai connu une autre femme qui confrontait le même problème. Son mari la laissait souvent seule à la maison. Mais elle, plutôt que de s'apitoyer sur son sort, de se sous-estimer et de crier sur tous les toits qu'il ne servait à rien d'entreprendre quoi que ce soit, elle s'est sans cesse appliquée afin de maintenir un bon dialogue avec son mari. Plutôt que de s'attendre à une défaite, cette excellente femme s'est estimée à sa juste valeur: un être humain doté d'innombrables capacités et possibilités de réussite et de bonheur. Devinez ce qui en est résulté? Une femme heureuse en ménage. Une femme maintenant âgée d'une quarantaine d'années qui est comblée et qui se réjouit en compagnie d'un mari qui l'apprécie et ne cesse de la remercier pour toute l'attention, la compréhension et l'affection qu'elle lui a témoignées.

J'ai connu également un père de famille qui espérait de tout coeur se voir attribuer l'emploi de représentant pour une grosse compagnie de biscuiterie au Québec. Le jour des auditions, il semblait bien que cet homme-là n'avait pas grande possibilité de se voir engager à cause des nombreux obstacles qu'il avait à surmonter. La compagnie exigeait une scolarité de douze années d'études alors que le postulant avait à peine une neuvième année. La compagnie exigeait le bilinguisme alors que notre homme connaissait à peine quelques mots de la langue de Shakespeare. Cet homme-là ne satisfaisait même pas les normes en rapport avec l'âge requis limité. De plus, ce même jour d'auditions, plus de soixante vendeurs chevronnés et pétillants de jeunesse s'attendaient à décrocher l'emploi. Savez-vous qui fut choisi...? Notre homme en question. Mais comment cela fut-il possible? Tout simplement parce que cet homme-là s'estimait à sa juste valeur. Bien que ne rencontrant pas certaines exigences requises, il dépassait de beaucoup les autres postulants dans un domaine en particulier: il inspirait l'honnêteté et la totale confiance légitime en soi. Notre homme était tellement persuadé d'être utile pour cette compagnie qu'il offrit à l'agent d'embauche de le mettre à l'essai sans solde pour une période de deux semaines. Comment peut-on douter d'un homme qui est disposé à travailler sans salaire durant deux semaines afin de démontrer ses capacités? Et devinez quel est le vendeur, parmi les quelques dizaines de représentants de l'entreprise, qui s'est mérité deux excellents bonus de vente en moins de six mois? Oui, l'a-t-on deviné? C'est encore lui.

On se décourage, on se rend inutilement malheureux parce qu'on se sous-estime. On doute que l'être humain soit une créature aussi merveilleuse, une créature dotée d'autant de capacités de réussite et de possibilités de bonheur qu'on le laisse vraiment entendre. Les possibilités de réalisations et les capacités d'adaptation de l'être humain sont pratiquement illimitées. La plupart du temps, on se refuse à la vie, à réussir sa vie, à sa joie légitime de vivre, à de nombreux «petits bonheurs» tout simplement parce qu'au fond, on ne tient pas tellement à être heureux.

Que voit-on dans les films à la télévision? On dit qu'un jeune enfant qui entre en maternelle à cinq ans a déjà vu une quinzaine de milliers d'assassinats par la voie du petit écran. Le meurtre, la rapine, l'immoralité sous toutes ses formes, l'échec conjugal, voilà ce qui fait l'objet des principaux films présentés à la télévision. Etant donné que la télévision est un miroir qui reflète assez fidèlement l'image de notre monde, on peut aisément comprendre les raisons pour lesquelles tant d'humains puissent douter d'eux-mêmes, se sous-estimer en refusant de prendre légitimement conscience des innombrables possibilités de joie de vivre et de bonheur qui peuvent être le lot de tout être qui se révèle enfin à lui-même, qui s'évalue à sa juste valeur.

La réussite en ménage, en amitié, en gagnant son pain quotidien; le bonheur et, enfin, la réussite totale de toute sa vie n'appartiennent qu'aux êtres qui s'estiment, qu'aux êtres qui s'évaluent pour ce qu'ils sont en réalité: des êtres créés à l'image et à la ressemblance de l'auteur de toute cette immense création. Et si, pour un seul instant, on se met à penser aux attributs grandioses que sont l'Amour, la Justice, la Puissance, la Sagesse que possède notre Créateur, attributs dont nous sommes aussi partiellement dotés, on ne peut plus avoir l'indécence de se sous-estimer, de s'évaluer à un niveau plus bas que les choses. Mais, plutôt que de se sous-estimer négativement, on regarde vers l'avenir, vers le prochain tournant de sa vie en ne cessant de se répéter que plus aucun obstacle n'est désormais assez élevé pour nous empêcher de profiter de nos nombreuses réussites, ce qui implique surtout la réussite de toute notre vie, et de jouir légitimement des innombrables «petits bonheurs» quotidiens qui sont réservés aux êtres intelligents et bien pensants qui font partie de ce grand et magnifique «chef-d'oeuvre» appelé la «CREATION».

5

Débarrassez-vous de vos complexes d'infériorité

Qui se fait ver de terre ne doit pas se lamenter s'il vient à se faire écraser, et celui qui fait le mouton ne doit pas se surprendre de voir arriver le loup. L'être humain, de par sa nature et son rang dans la création, est fait pour se tenir debout, bien droit sur ses pieds. Se traîner est le propre du balai et ramper est l'une des principales caractéristiques de la couleuvre.

Durant toute ma vie, j'ai rencontré des centaines, voire des milliers de gens qui se sont condamnés inutilement au repli sur soi-même, à l'échec et au malheur à cause de cette détestable habitude qui consiste à vivre avec des complexes d'infériorité. Les complexes d'infériorité peuvent causer des torts souvent irréparables, et dans tous les cas, ils constituent de puissantes entraves qui freinent l'émancipation légitime qui est propre à chaque individu.

Parmi les amis de notre famille, nous comptons une fille qui, durant toute sa vie, n'a cessé de se considérer comme étant inférieure aux autres filles du seul fait qu'elle a toujours été un peu plus grassouillette que les autres. Cette fille-là a toujours eu l'esprit figé sur les quelques kilos de graisse qui la font paraître un peu plus replète que les autres. A chaque fois qu'elle entamait une conversation avec des amis, le sujet revenait immanquablement sur le poids et les régimes amaigrissants. «Moi, avec ma rotondité, il est bien certain que personne ne me demandera en mariage; que je deviendrai une vieille fille!» Voilà de quelle façon elle s'exprimait.

Et ce qui devait arriver, arriva immanquablement. Aujourd'hui, âgée de plus de trente ans, notre amie est toujours célibataire, bien qu'ayant vivement désiré le mariage. Elle a sans cesse manifesté le désir de rencontrer enfin le brave garçon de sa vie, mais parallèlement, son esprit était sans cesse hanté par ses misérables bourrelets.

Pourtant, cette brave fille est dotée de nombreuses qualités qui en feraient certainement une excellente épouse et une bonne mère. C'est l'une des personnes les plus généreuses que nous comptons parmi nos amis; elle est honnête, loyale, travailleuse, sincère, propre et de bonne conduite. En somme, elle est pourvue des principales qualités qui font dire d'une femme qu'elle est une excellente épouse. Mais bien loin de mettre en évidence ses nombreuses belles qualités intérieures, elle se rend inutilement malheureuse en attirant sans cesse l'attention sur son poids, sa personne. Et alors que toutes ses amies sont maintenant mariées, cette fille est de plus en plus malheureuse et ne cesse de crier que si personne n'a voulu et ne veut d'elle, c'est uniquement à cause de son poids. Que de malheurs du fait d'entretenir inutilement de misérables complexes d'infériorité à propos du poids!

Poursuivant ma vaste enquête sur le bonheur, j'ai rencontré assez souvent des épouses qui se faisaient constamment du souci à propos de leur poids, de l'épaisseur de leurs hanches, de la petitesse de leurs seins, du fait qu'elles ne se trouvaient pas assez grandes, etc... J'ai parlé avec de nombreux maris et la plupart m'ont mentionné que leur épouse nourrissait un certain complexe d'infériorité à propos des formes, de l'apparence, de la grandeur et n'importe quoi d'autre concernant l'aspect physique: cuisses un peu fortes, jambes trop courtes, nez trop mince, etc. Pourtant, après avoir demandé à ces mêmes maris, aux maris de ces éternelles «complexées», si le poids, la grandeur ou la forme physique de leurs femmes pouvaient avoir une influence quelconque sur leur bonheur conjugal et le degré d'amour qu'ils leur témoignaient, ceux-ci m'ont répondu, sauf de très rares exceptions, qu'en aucune façon, la grandeur, le poids, la forme ou l'apparence générale de leur femme ne pouvaient exercer une quelconque influence sur leur bonheur conjugal. Ces maris affirment que le principal obstacle à leur bonheur conjugal n'était pas la forme de leur tendre moitié mais de préférence les nombreux «soucis continuels» que se faisaient ces dernières à propos de leur apparence physique, soit les innombrables petits complexes entretenus par leurs épouses. On peut facilement imaginer quel désastre peut s'abattre sur un couple quand le mari, à l'esprit étroit, ne cesse de taquiner sa femme à propos de son poids, ses formes et son apparence en général.

Les complexes d'infériorité ne font pas le malheur uniquement de ces dames. J'ai aussi rencontré de nombreux hommes qui se créaient inutilement de nombreux complexes d'infériorité pour toutes sortes d'autres raisons. Si la plupart des hommes se tracassent moins au sujet de leur poids, leurs formes ou leur apparence, ils se font cependant beaucoup de souci du fait de se comparer aux autres hommes. Si la femme, elle, se crée des complexes d'infériorité à propos de son poids et de sa forme, l'homme, lui, se crée des complexes d'infériorité à propos de toutes sortes de comparaisons qu'il entretient vis-à-vis des autres hommes: comparaisons à propos du travail, de la force, de l'argent, de la robustesse du moteur de son automobile, de sa virilité, de son air de jeunesse, etc..., etc...

Mais au fond, tous ces complexes qu'hommes et femmes entretiennent à propos de l'apparence physique ou des ressources financières sont-ils valables? Le bonheur, la vraie réussite de la vie et la joie de vivre ont-ils une quelconque liaison avec la taille, la forme, les traits physiques et l'apparence en général? Le bonheur qu'un homme, mari et père est en droit de puiser au sein de siens a-t-il un rapport quelconque avec le salaire, la maison ou la marque de l'auto du voisin?

En ce qui vous concerne, mesdames, je tiens tout de suite à vous dire que vos maris vous aiment justement parce que vous êtes «VOUS», différente des autres. Demandez à vos maris s'ils vous aimeraient davantage si vous étiez avantagées physiquement comme Brigitte Bardot et Cie, et vous aurez des surprises. L'homme étant ce qu'il est, de par sa constitution et sa nature, soit beaucoup possessif et un «peu beaucoup» jaloux, soyez donc assurées, chères lectrices, que pas un seul mari n'aurait l'esprit tranquille en pensant que «sa déesse de la beauté» est seule à la maison, proie facile devant tous ces loups voraces qui rôdent pendant que lui se fait mourir au travail. Aucun homme ne veut perdre la face et le seul fait de penser que sa «divine beauté» pourrait un jour ou l'autre porter ses regards sur le jeune premier qui fait le commercial de la dernière marque de dentifrice annoncée à la télévision, voilà ce qui pourrait le rendre fou à être enchaîné.

Il est bien certain que de nos jours, avec toutes ces revues qui ne cessent de mettre l'accent sur la seule apparence physique; tous ces commerciaux télévisés qui ne cessent de dire qu'une femme a beau n'avoir rien dans la tête, mais pourvu qu'elle soit dotée d'un beau corps, rien d'autre ne compte; il est donc bien certain qu'il y a de quoi à rendre la plupart des femmes complexées à propos de leur poids, leur forme, leurs traits et leur apparence en général. Mais sachez bien, amies lectrices, que votre mari vous a épousée, vous, avec vos cinq pieds et un pouce; vous, avec vos hanches un peu fortes, vous, avec vos doigts courts, oui «VOUS» avec ce que vous avez justement, ce que vous étiez le jour de vos noces, ce jour où vous étiez toute resplendissante de beauté dans votre belle robe d'un blanc immaculé.

Votre mari a épousé VOS hanches. Votre mari a épousé VOS jambes. Votre mari a épousé VOTRE dimension, votre taille. Votre mari vous a épousée, VOUS, oui VOUS. N'oubliez donc jamais ce petit bout de femme que votre mari a épousé le jour où il a décidé de lier à toujours sa vie, ses joies et ses ambitions à l'élue de son coeur: VOUS. Gardez toujours bien présent dans votre esprit que votre mari était bien conscient du fait que sa femme était loin d'être parfaite physiquement, loin d'être une déesse de la beauté. Mais votre mari a quand même décidé de vous choisir, VOUS, parmi toutes ces femmes qui l'entouraient, parce que vous étiez pourvue de ces belles qualités qui correspondaient le plus à sa personne à lui. Vous étiez justement le genre de personnalité qui reflétait son idéal à lui. Votre mari était persuadé que vous étiez le genre de femme qui le comprendrait le mieux, qui le seconderait dans toutes ses entreprises et qui... le supporterait aussi. Vous étiez la future mère idéale pour les futurs enfants de votre mari! De ceci, votre époux en était parfaitement conscient. Pensez-vous que votre mari vous aimerait davantage aujourd'hui si la couleur de vos cheveux était changée et si vous étiez dotée de deux longues jambes de gazelle au lieu de ce que vous possédiez le jour de votre mariage?

Votre mari vous a épousée, VOUS, avec ce que vous possédiez le jour de vos noces, rien de plus, rien de moins. Efforcez-vous donc de toujours développer davantage les précieuses qualités de coeur qui vous faisaient considérer comme une pierre précieuse de grand prix aux yeux de votre conjoint. S'il est certainement approprié de toujours vous surveiller afin de conserver la taille du jour de votre mariage, ne cessez, par contre, de vous «élargir» en affection, en compréhension, en collaboration et en bonne entente envers votre mari. En agissant ainsi, vous n'aurez jamais à vous inquiéter et vous tourmenter en vous demandant constamment, si oui ou non, votre mari vous aime toujours. Voilà, pour vous, chères lectrices, un excellent moyen d'action qui vous aidera à vous libérer une fois pour toutes de tous ces petits complexes d'infériorité qui vous causent tant de malheurs et vous empêchent de goûter à satiété de tous les nombreux «petits bonheurs» quotidiens qui sont là à portée de votre main.

Et vous, messieurs, cessez donc, une fois pour toutes, de vous créer inutilement des complexes d'infériorité parce que vous gagnez moins d'argent que votre beau-frère, parce que votre maison ou votre voiture sont moins belles que celles de votre voisin. Cessez donc de vous rendre malheureux à cause de tous ces complexes entretenus à propos de cette différence évidente qui existe entre vous et le jeune premier qui a tenu le rôle clé dans le dernier film d'amour qu'a regardé votre femme et qui l'a tant émue.

Plutôt que de vous rendre inutilement malheureux du fait de tous ces complexes d'infériorité que vous entretenez secrètement en vous, débarrassez-vous-en une fois pour toutes en ne cessant de continuer à demeurer, mais en vous améliorant constamment, ce magnifique garçon qui correspondait à l'idéal de celle à qui vous faisiez palpiter le coeur et qui, volontairement et avec joie, a accepté de partager toute son existence avec vous. Sachez bien que votre femme vous appréciera davantage si vous lui dites souvent que vous l'aimez, si vous passez du temps à parler avec elle, si vous lui êtes fidèle, attentionné et si vous êtes un excellent exemple pour vos enfants. Cultivez sans cesse l'art d'être un bon mari, aimant et compréhensif. Soyez toujours un bon père pour vos enfants et... laissez tomber vos complexes d'infériorité. Oui, laissez-les tomber, car vous ne mettrez pas longtemps à comprendre que finalement, c'est justement le genre de mari avec lequel une femme intelligente tient de tout coeur à partager sa vie.

En fait, quels sont les véritables canons de la beauté? Sur quels critères convient-il de se baser afin de déterminer, avec le plus de précision possible, où commence et où se termine la beauté? Nous vivons dans un monde où prédomine l'imperfection et bien avisé serait quiconque pourrait attester être en possession des canons infaillibles de la beauté physique.

La vraie beauté d'une personne, ce qui fait son vrai charme et constitue sa réelle personnalité, se contemple avec les yeux du coeur. La chair n'est, en somme, qu'une enveloppe bien fragile dont l'utilité principale consiste à rendre possible le contact visible avec des personnalités qui sont toutes différentes les unes des autres. Enlevez toutes les qualités dont une personne est dotée, éliminez sa personnalité qui lui est propre et vous verrez un corps, un corps comparable à celui d'une bête de somme. On dit souvent qu'une personne morte couchée dans sa tombe est belle, bien embaumée. Mais a-t-on déjà essayé de dialoguer avec une personne morte, d'en retirer quelque chose de logique et d'édifiant qui pourrait réjouir et ensoleiller la vie?

C'est ainsi qu'est tout être humain. Sa vraie beauté, sa personnalité se situe à l'intérieur, au niveau du coeur symbolique. On n'est pas attiré vers une personne parce qu'elle est belle physiquement, sculptée comme une déesse. On se sent attiré vers un être plutôt que vers un autre parce que SA personnalité, SA compréhension, SON affection, SES ambitions «correspondent» à NOTRE personnalité à nous, à tout ce que NOTRE personne désire et ce vers quoi elle aspire. Ah! qu'il est exact de dire que «la chair ne sert à rien du tout» et qu'en fin de compte, ce n'est que l'esprit qui est vivifiant.

Attention! Il ne faudrait pas non plus tomber dans l'autre extrême. Il ne faudrait pas croire qu'on est quelque peu supérieur aux autres du seul fait qu'on soit doté d'un atout quelconque, mental ou physique, atout qui pourrait faire défaut à un autre. Gardons toujours bien présent à l'esprit que quel que puisse être le don, l'aptitude mentale, l'attribut ou la qualité qui prédomine chez nous, il y a toujours, dans un coin de ce monde, quelqu'un qui nous dépasse dans un certain domaine. Non pas seulement qui nous dépasse, mais d'autres êtres humains qui nous complètent à merveille. Si nous possédons beaucoup d'attrait physique, disons-nous bien que c'est seulement grâce à la somme d'intelligence déployée par tous les autres êtres humains qu'il nous est possible de nous épanouir pleinement. Et si nous sommes dotés d'intelligence en abondance, gardons toujours à l'esprit que sans le précieux concours de nos semblables, nous ne sommes rien.

Il importe, certes, de se débarrasser de ses complexes d'infériorité, lesquels font tant de ravages en sapant les bases même de la personnalité; des complexes d'infériorité qui empêchent un être de s'émanciper pleinement, de vivre légitimement sa vie à SOI. Mais ce faisant, il est très important de se garder d'aller à l'autre extrême, soit de se prendre pour un autre; de penser, puis finalement de croire, qu'on est une sorte de «nombril du monde» autour duquel gravitent les autres individus composant notre humanité. Il suffit d'aller faire un tour dans les cimetières pour enfin constater qu'ils sont remplis à pleine capacité de corps d'individus qui, à un certain moment de leur existence, se croyaient indispensables. On se rend bien malheureux inutilement en s'attachant à ses complexes d'infériorité; mais inversement, on se rend tout aussi malheureux quand on se tient à l'écart des autres parce qu'on se croit supérieur.

Cette importante leçon du bonheur ne serait pas complète sans une importante mise en garde envers tous ces êtres qui ne cessent de nous ennuyer, et même nous faire souffrir cruellement en se moquant inconsidérément de tous nos petits défauts, qui, pourtant, n'en sont pas toujours.

A ce sujet, on voit très souvent des conjoints peu scrupuleux se moquer de leur partenaire affligé d'embonpoint, de maigreur excessive, d'infirmité ou de tare héréditaire. Il est bien certain que l'individu qui se complaît méchamment dans l'imperfection de ses semblables démontre beaucoup d'étroitesse d'esprit; alors, au lieu de se rendre malheureux à propos de ces petites désobligeances, conscientes ou inconscientes, mieux vaut ne pas en tenir compte et agir comme le passant qui ne se détourne même pas parce qu'un petit chien mal élevé aboie après ses lacets de souliers.

J'ai vu une femme d'une certain âge abandonner le toit conjugal parce que son mari ne cessait de l'importuner et la harceler vu qu'elle était à la fois trop pesante et infirme, une infirmité résultant d'un accident dont ce mari était en partie responsable. Certes, la décision prise par cette femme peut être inexcusable, mais que doit-on penser de l'attitude fort désobligeante du mari?

Tenir compte de toutes les remarques désobligeantes et irréfléchies provenant d'individus à l'esprit étroit hantant lamentablement notre planète, c'est s'accrocher à de nombreux petits complexes d'infériorité qui, une fois développés, peuvent gâcher toute une existence. Ce qu'il convient de faire de ces remarques désobligeantes émanant de ces êtres plutôt bornés, c'est d'en former un paquet bien ficelé et de le jeter à la poubelle à la première occasion qui se présente. Ce faisant, on ne ruine pas son existence en concentrant ses pensées sur toutes sortes de complexes d'infériorité à propos de certains défauts de sa personne qui, si on les considère sous un angle optimiste, constituent peut-être ces «petits riens» qui font notre charme personnel.

Et si quelqu'un de votre entourage éprouve du plaisir à vous taquiner à propos d'un trait quelconque de votre personne, ne vous abaissez jamais à son niveau en lui rendant le mal pour le mal, injure pour injure, désobligeance pour désobligeance. N'en tenez absolument pas compte. Faites comme s'il s'agissait du chien du voisin qui serait venu égratigner votre magnifique parterre. Ce faisant, votre entourage remarquera assurément vos beaux traits de personnalité vu la façon dont vous traitez les «petites gens», ceux qui sont simples et limités tant au point de vue verbal que mental. Faites vôtre ce comportement et voyez jusqu'à quel point votre excellente réputation s'en trouvera affermie. Douceur de caractère, bienveillance envers autrui, patience, bonté, indulgence, générosité; pardonnant aux autres leurs offenses: de ceci votre entourage rendra témoignage. Pour ce qui est de l'individu qui vous attriste par ses moqueries, ne vous en faites pas, car ses remarques désobligeantes le condamnent déjà suffisamment sans que vous ayez besoin de vous en occuper.

Dans la présente leçon du bonheur, j'ai tenu à mettre l'accent presque exclusivement sur la personne pour la bonne raison que la plupart du temps, nous les êtres humains, nous nous rendons souvent inutilement très malheureux à propos de toutes sortes de complexes d'infériorité que nous développons de notre apparence physique. Et la plupart du temps, l'adolescent, ou la jeune fille, qui se rend malheureux en considérant tel ou tel aspect de son physique, mènera une existence lamentable, adoptant cette mauvaise attitude, soit celle qui consiste à se croire inférieur aux autres.

Et tous ces petits complexes d'infériorité qu'on développe eu égard à son apparence physique, à sa personne, finissent par faire oublier un aspect beaucoup plus réel et valable de soi-même, soit les bonnes qualités composant la véritable personnalité d'un être humain; qualités qui font un être émancipé, comblé et vraiment heureux; un être bien «développé» dont la compagnie et les talents sont sans cesse recherchés tout au long de sa vie. Se débarrasser une fois pour toutes des nombreux complexes d'infériorité qu'on nourrit sans raison à propos de sa personne c'est, en fin de compte, ignorer le côté malheureux de «sa» vie pour s'ouvrir enfin à la joie de vivre, au plein et légitime épanouissement de soi-même et au bonheur véritable qu'on éprouve lorsqu'on se décide enfin de vivre SA vie, ce qui n'est rendu possible qu'en se «décrochant» de l'esprit des autres.

6

Le bonheur est toujours du côté de la lumière

Peu de gens se décideraient de bâtir une résidence dans un cimetière. Même si la plupart de nos cimetières sont maintenant parsemés de fleurs toutes plus belles les unes que les autres et remplis d'arbres, rien n'empêche qu'ils sont toujours des endroits froids, réservés pour nos chers disparus. Le cimetière, c'est l'ombre et aucune personne sensée se résignerait à aller vivre dans un tel endroit pour la raison logique que le monde des vivants évolue là où réside la lumière et non les ténèbres.

Dans cette brève mais importante leçon du bonheur je veux attirer l'attention sur un aspect capital du bonheur, aspect qui m'a beaucoup frappé durant ces dernières années. En effet, je me suis souvent rendu compte que de nombreux êtres se condamnent à végéter impitoyablement dans le tourment, l'angoisse et le malheur; ils souffrent moralement et mentalement du seul fait qu'ils veulent, avec insistance, vivre constamment dans le passé, dans l'ombre, là où se désagrègent les détritus de l'existence, lieu où reposent les morts.

Le passé, c'est l'ombre; l'avenir, c'est la lumière. Certes, il ne serait pas logique de balayer le passé d'un simple coup du revers de la main, mais pour être heureux, vraiment heureux, et ne pas imposer d'entraves inutiles à son bonheur, il importe de ne conserver du passé que ce qui édifie, que ce qui peut procurer une certaine somme d'expérience pratique.

S'affliger du passé, c'est en mourir; c'est se nourrir des détritus de la vie. S'il est nécessaire, pour pouvoir demeurer en bonne santé physique, de ne consommer que des aliments frais, qui sont de toute première qualité, il est aussi important, sinon plus, pour être en mesure de demeurer en bonne santé mentale, affective, morale et spirituelle, de se nourrir avec le temps et les événements de la vie qui sont présents et à venir, qui sont «frais», qui font partie de l'actualité et de l'avenir. Comme le soleil joue un rôle vital dans la végétation fraîche qui nourrira convenablement notre corps, on peut donc dire que la vraie nourriture de la vie, celle qui peut contribuer à nous apporter de nombreux «petits bonheurs», est obligatoirement du côté de la lumière, vers l'avant et non vers l'arrière. Se nourrir du temps écoulé et des événements du passé, c'est s'alimenter avec les déchets de l'existence; c'est s'exposer à subir de graves carences alimentaires affectives, émotives et spirituelles, et ainsi se condamner à végéter sans pitié dans le malheur.

Parmi nos parents, nous comptons un couple qui ne nous a jamais pardonné une divergence d'opinion. A cause de certains principes religieux, nous avions décidé, il y a une quinzaine d'années, de ne pas participer à certains rites d'une église en particulier. Eh bien, il y a plus de quinze ans que l'incident s'est produit, et depuis ce temps-là, nos parents n'ont plus jamais voulu nous adresser la parole. Nous avons bien essayé à quelques reprises de les contacter; mais quoique nous fassions, il sont toujours aussi impassibles envers nous. L'esprit de ce couple est tellement «paralysé» sur cet incident du passé qu'ils préfèrent vivre ainsi, séparés de membres de la famille, plutôt que de simplement respecter la conscience des autres.

Quand l'esprit d'une personne est lamentablement bloqué dans les entraves d'événements du passé, comment peut-il être alors possible à une telle personne d'aller de l'avant, de regarder là où la lumière luit! La seule façon qui puisse permettre d'aller de l'avant, c'est de se débarrasser une fois pour toutes de ces entraves misérables qui nous relient sans cesse à des choses ou circonstances du passé qu'il vaut bien mieux d'oublier pour de bon. L'avenir et le bonheur sont toujours du côté de la lumière, pas dans l'ombre du passé. Qui se «fige» volontairement dans l'ombre du passé se prive ainsi de nombreux «petits bonheurs» présents et qui sont encore à venir.

Au moment où je suis en train de rédiger une partie de ce livre, je vois, en face de ma demeure, des ouvriers de construction qui érigent la charpente d'une maison. Ils débutent leur journée de travail à huit heures le matin et achèvent à cinq heures de l'après-midi, car cinq heures c'est l'heure du crépuscule, l'heure où l'ombre commence à envahir nos rues et inonder nos villes. Ces ouvriers travaillent en plein jour car ils savent qu'il n'est possible d'ériger des constructions solides que lorsque la lumière du soleil éclaire à fond. En effet, on construit durant le jour, quand apparaît la lumière. La nuit, période durant laquelle l'ombre prédomine, est réservée aux rôdeurs, à ceux qui volent et qui détruisent, aux malfaiteurs.

J'espère de tout coeur qu'on a bien saisi le sens de cette importante leçon du bonheur. Pour être heureux, vraiment heureux, goûter pleinement chacun des «petits bonheurs» quotidiens qui s'offrent à nous et aussi construire ses nombreux petits bonheurs futurs, il importe de toujours regarder du côté de la lumière. Et regarder du côté de la lumière, c'est reléguer définitivement au passé ce qui se trouvait déjà au séjour des morts. C'est oublier pour de bon ses propres erreurs et aussi celles de ses semblables. Regarder du côté de la lumière, c'est profiter pleinement de l'instant présent afin de construire tous ses bonheurs futurs. Oui, le bonheur est bel et bien du côté de la lumière, nulle part ailleurs!

7

C'est dans l'instant présent qu'il faut être heureux

Je parcourais les lignes des avis de décès du quotidien local quand je découvris la biographie d'un millionnaire que la mort venait juste de frapper. A la page suivante on mentionnait que sa mort survint exactement au moment précis où il avait enfin décidé de prendre sa retraite. Durant toute sa vie, expliquait l'article, cet homme d'affaires s'était imposé de lourds sacrifices afin d'accéder au niveau qu'il venait juste d'atteindre et voilà que subitement, cruellement, la mort était venue l'arracher à l'existence alors qu'il se proposait de profiter un peu de la vie. Cet homme avait passé toute sa vie à mettre en réserve ce qu'il pensait représenter le bonheur, ou contribuer au bonheur pour pouvoir en profiter au cours de sa retraite. Que lui arriva-t-il en fin de compte? Il mourut sans même connaître à fond le réel sens du mot Bonheur.

L'an passé, pour citer, 1979, j'expliquais à un ami combien notre famille s'était procuré du bonheur en effectuant un voyage dans le Sud. Cela le scandalisa au point qu'il eut à nous dire que c'était de la folie, du gaspillage. A ce monent-là, cet ami avait trois emplois différents. S'il travaillait autant, c'est parce qu'il voulait économiser le plus d'argent possible, tout autant que les occasions le lui permettaient; et ensuite, quand il aurait enfin atteint soixante-cinq ans, l'âge de la retraite prévu au Canada, il comptait jouir de ses rentes en investissant son argent dans le Sud. Mais, que malheureux fut son destin. Mon ancien ami n'a jamais pu et ne pourra jamais savourer pleinement ce «Bonheur» qu'il «économisait» pour ses jours de retraite, puisque quelques mois plus tard son coeur flancha à la suite d'un troisième infarctus.

Telle est de nos jours la mentalité de nombreux individus. Très souvent bien des gens se privent de toutes sortes de petites joies, des «petits bonheurs» qu'ils seraient certainement en mesure de se payer, et économisent pour un grand bonheur futur qui ne viendra souvent jamais; bonheur dont ils ne seront, la plupart du temps, plus en mesure de savourer, ni même de goûter.

Vivre dans le passé n'est constructif qu'à la seule condition d'en puiser ce qu'il renferme d'expérience pratique. Et vivre dans le futur n'a de sens qu'à la condition de se servir intelligemment du présent afin d'élargir les connaissances pratiques de la vie qui nous serviront pleinement demain. Mais dans tous les cas, c'est l'être qui cultive l'art de cueillir, goûter et savourer pleinement tous les «petits bonheurs» légitimes qui frappent sans cesse à la porte de sa vie, à chaque «instant présent», qui fait preuve de plus de sagesse.

La meilleure philosophie de la vie ne consiste pas à avoir constamment le passé ou l'avenir à l'esprit, mais c'est de vivre heureusement l'instant présent, au fur et à mesure qu'il s'offre à nous avant qu'il ne s'envole pour ne plus jamais revenir.

Un autre homme d'affaires était tellement pris par ses entreprises qu'il n'avait même pas le temps de se trouver près de sa femme et connaître plus intimement ses enfants. Le samedi après-midi était le seul moment qu'il pouvait se permettre d'être parmi les siens, au sein de sa famille, tant il était pris par son «business». Mais bien loin de consacrer cet après-midi libre pour faire plaisir à sa famille, afin de mieux les connaître et satisfaire leurs besoins affectifs, spirituels et autres, il préférait plutôt s'adonner à la lecture de nombreuses revues financières auxquelles il était abonné. Et ce qui devait arriver, arriva finalement. Il récolta selon la fameuse loi de la semence et de la récolte, il récolta donc ce qu'il avait semé, mais plus abondamment. L'homme «occupé» perdit sa femme, laquelle le quitta pour aller refaire sa vie avec un autre homme, sans doute parce qu'elle s'ennuyait dans son rôle de femme pratique afin de «faire bonne impression». Ses enfants, qui ne connaissaient presque pas leur père, sinon que de renommée prestigieuse par la voie des journaux, ont aussi abandonné leur foyer pour se perdre dans l'anonymat de la vie. Et quelques mois après que sa femme eût renoncé à vivre avec lui, notre homme «très occupé» passait subitement de vie à trépas. Son coeur avait flanché alors qu'il ne battait que depuis quarante-neuf années seulement.

Profiter sagement de la vie en goûtant et savourant pleinement les nombreux «petits bonheurs» légitimes qui frappent sans cesse à sa porte, dans l'«instant présent», c'est comme profiter sagement de son argent au fur et à mesure qu'on le gagne. Je connais une famille dont le père et la mère sont tellement avares qu'ils se privent continuellement des nécessités même de la vie. Pour eux, le beurre et un «caprice»; on peut facilement s'en passer. Aller dîner dans un restaurant fait partie des pires scandales de notre monde. Faire un voyage compte parmi l'une des pires folies humaines. En somme, tout ce qui peut facilement être considéré comme tout à fait normal par de nombreux couples est irrémédiablement condamné par ce couple. Il est bien certain que le compte bancaire de ces avares s'accroît sans cesse, mais sont-ils vraiment heureux? Ce couple éprouve-t-il la satisfaction agréable de goûter et savourer pleinement les nombreuses occasions de «petits bonheurs» quotidiens qui se présentent à eux de façon presque ininterrompue, mais qu'ils ne voient pas? Il suffit de regarder le visage tendu et nerveux qu'affichent ces gens-là pour se rendre compte jusqu'à quel point leur avarice peut les empêcher de savourer pleinement leur vie à tout instant.

Il est certainement sage de planifier financièrement sa vie et d'économiser afin de ne pas se retrouver honteusement démuni un jour ou l'autre du fait d'avoir gaspillé inconsidérément son argent. Mais se priver sans cesse des nécessités de l'existence dans le seul but d'économiser pour l'avenir, voilà qui est aussi insensé que de refuser de faire du ski cet hiver afin de ne pas gaspiller la neige.

Ce n'est pas durant l'été qu'il convient de skier. C'est durant l'hiver, dans «l'instant présent» quand la neige recouvre nos champs de son beau manteau, manteau d'un blanc immaculé. Il ne faut pas se priver de goûter aux joies qui consistent à faire du ski parce qu'on ne veut pas gaspiller la neige, parce qu'on veut l'économiser pour l'avenir, quand on sera «moins occupé». Mais si nous attendons l'été il sera trop tard, la neige aura fondu. Si nous attendons l'été, nous aurons peut-être plus de temps libre afin de pouvoir s'adonner au ski, cependant, la neige, elle, aura disparu.

C'est un peu comme cette chanson populaire qui dit que lorsqu'on a les dents on n'a pas l'argent; et quand finalement on a l'argent, on n'a plus le temps. L'habitude qui consiste à toujours remettre à plus tard la joie de goûter un bonheur présent, pendant qu'il se présente à soi, a privé bien des gens de nombreux bonheurs perdus à jamais.

Qui ne ressent pas parfois l'envie de déguster une délicieuse crème glacée? Qu'est-ce qui fait d'une crème glacée qu'elle soit délicieuse à déguster? N'est-ce pas sa fraîcheur? N'est-ce pas le fait de la goûter, la savourer pleinement pendant qu'elle est toute fraîche? Prétendre être trop occupé et laisser traîner une crème glacée sur la table et se dire qu'on la dégustera demain, quand on aura plus de temps, voilà un raisonnement insensé. Demain, il sera trop tard, la crème glacée aura fondu. Il ne sera plus jamais possible de savourer en plein cette crème glacée maintenant fondue pour toujours. La mettre au congélateur et se dire qu'on la savourera dans un an quand on aura du temps, voilà qui est tout aussi insensé, car dans un an, la crème glacée sera sans doute encore là, dure et bien conservée, mais il lui manquera une chose absolument nécessaire: la délicate saveur de sa fraîcheur.

Avez-vous remarqué comment les diverses saisons nous apportent de nombreux fruits et légumes de toutes sortes? Chaque saison nous apporte son lot d'aliments délicieux qui lui est propre et c'est en goûtant et en savourant pleinement les fruits et les légumes au fur et à mesure que nous pouvons les récolter, pendant qu'ils sont encore tout frais, que nous nous régalons le plus et qu'ils sont le plus profitable à notre organisme, à cause des nombreux éléments nutritifs qu'ils renferment. Certes, nous pouvons tout aussi bien profiter des éléments nutritifs des fruits et légumes que nous avons mis en conserves pour les consommer plus tard, mais à ces derniers, il manque une chose très importante: la saveur exquise et délicate de la fraîcheur. Et cette saveur ne se goûte pleinement qu'à la fraîcheur, quand la végétation est fraîchement récoltée.

La vie est ainsi faite et pas autrement. La vie nous procure des années, des mois, des semaines, des journées, des heures, des minutes et des secondes qui se succèdent sans cesse. Certes, le temps est infini, éternel; mais chaque seconde, minute ou heure passée ne se représentent plus. La vie est une très longue route, éternelle; route sur laquelle nous n'allons que dans une seule direction: vers l'avant, le futur. Quiconque passe sa vie à poursuivre un grand bonheur futur, perd et gaspille sa vie, car la vie ne finit pas de passer.

Il ne faut pas attendre d'être arrivé au «bout» de la vie, à la retraite comme on dit, pour savourer enfin le grand bonheur. Voilà ce qui est contraire au bon sens, car la vie est éternelle, c'est un très long chemin, un chemin sans fin. Comme un très long tapis qui se déroule, la vie continue sans cesse, sans jamais s'arrêter. Il ne faut donc pas s'attendre à connaître le grand bonheur pour être enfin heureux. Dans la vie, il n'y a pas de grand bonheur, mais seulement d'innombrables «petits bonheurs» de tous les instants qui sont faits pour être pleinement «savourés» à l'instant même, pendant qu'ils sont tout frais!

C'est dans l'instant présent qu'il convient de prendre sa femme dans ses bras et lui dire jusqu'à quel point on l'aime; car demain, il sera peut-être trop tard. C'est dans l'instant présent qu'il convient de dire à son mari jusqu'à quel point on apprécie tous les efforts qu'il déploie afin de subvenir honorablement aux besoins de toute la maisonnée; car demain il sera peut-être trop tard. C'est dans l'instant présent qu'il convient aux enfants de dire merci à leurs parents pour tout ce qu'ils ont fait et font en vue de leur bien-être; car demain, il sera peut-être trop tard pour les remercier. C'est à l'instant présent qu'il convient de féliciter son enfant, de l'encourager pour le bon travail qu'il a accompli à l'école; car la vie se déroule si rapidement que demain on aura oublié ce travail accompli. C'est à l'instant même qu'il convient d'aider cette femme âgée à traverser la rue animée; car demain, il sera trop tard, cette femme sera chez elle, non dans la rue. C'est maintenant, pendant qu'il est servi, qu'il convient de savourer pleinement ce délicieux repas que maman a passé tant de temps à préparer; car le lendemain aura soin de lui-même, d'autres repas seront là. Voici maintenant le temps de commencer enfin ce régime amaigrissant qu'on s'est choisi depuis une dizaine d'années, car demain, d'autres kilos se seront ajoutés à cette masse de graisse qui prend du volume, ce qui demandera assurément beaucoup plus de patience et d'efforts pour s'en débarrasser.

Que de fois ces «petits bonheurs» se présentent à chacun de nous! C'est dans l'INSTANT PRESENT qu'il convient de dire merci pour un petit service rendu; d'envoyer des fleurs à un être cher; d'écrire un petit mot pour dire à quelqu'un jusqu'à quel point on pense à lui et qu'il nous manque; d'aller voir son ami, lui demander pardon ou s'excuser pour l'erreur commise à son égard; d'acquitter ses dettes; de commencer à mettre de l'ordre dans ses affaires; d'arranger ses jouets, ses outils, etc, etc... En effet, que de choses peuvent être faites dans l'INSTANT PRESENT, et que de «petits bonheurs» peuvent être cueillis, goûtés et pleinement savourés dans l'INSTANT PRESENT, pendant qu'ils sont encore «frais».

Des dizaines de couples âgés m'ont déclaré se sentir profondément découragés et éprouver un certain sentiment d'inutilité et de solitude maintenant qu'ils sont arrivés à l'automne de leur vie. La plupart de ces personnes âgées m'ont mentionné que durant toute leur vie passée, elles se préparaient à la retraite. Ces personnes-là avaient hâte d'arriver enfin à cet âge qui leur permettrait enfin de savourer pleinement le «grand bonheur» de leur vie. La plupart du temps, les gens âgés d'aujourd'hui sont des personnes qui se sont privées de nombreuses petites joies de la vie afin de se préparer une retraite confortable, une retraite durant laquelle ils auraient enfin le temps de vivre heureux. Et aujourd'hui que constate-t-on chez la plupart de ces couples maintenant retraités? Sont-ils des gens qui savourent pleinement un «grand bonheur»? Non! Je vois plutôt des gens qui s'ennuient, des gens qui, la plupart du temps, regrettent de n'avoir pas su profiter pleinement de toutes ces occasions de «petits bonheurs» qui se présentaient à eux pendant qu'ils avaient les «dents», qu'ils avaient le «sens du goûter» encore affiné. A chaque instant de leur existence, la vie leur présentait un délicieux cornet de crème glacée; mais plutôt que de le savourer pleinement dans l'instant présent, pendant qu'il se présentait dans toute sa fraîcheur, ils le remisait dans le congélateur pour le goûter plus tard, au jour de la retraite. Mais quelle grande déception éprouvent maintenant la plupart de ces gens: les années ont fait leur ravage, le sens du goûté s'est détérioré, et la crème glacée, elle, est devenue fade, elle a perdu toute sa fraîcheur.

Il y a quelque temps, ma fille était allée au cinéma assister à la projection d'un film selon l'annonce faite dans les journaux. Mes occupations m'ayant empêché d'accompagner ma famille, ma femme et ma fille s'y sont donc rendues seules.

Une fois revenue à la maison, ma fille m'a tout raconté sans en omettre les moindre détails. Mais malgré l'exactitude avec laquelle elle me les exposait, je n'arrivais pas à savourer pleinement la joie que procurait ce film. Certes, l'exposé qu'elle m'en a fait m'a donné une bonne vue d'ensemble de l'histoire dont le film fut l'objet, mais j'ai quand même perdu l'essentiel: la joie d'aller «voir» un bon film.

Voilà de quelle façon beaucoup de gens gaspillent leur vie: ils s'installent confortablement devant leur appareil de télévision et regardent passivement vivre les autres pendant que tout autour d'eux d'innombrables petites occasions de bonheur, comme des petits chiens, grattent sans cesse à la porte mais en vain, et s'en vont finalement mourir sans n'avoir été perçues par les yeux du discernement, de l'intelligence. Et après, quand l'émission télévisée est terminée, on s'irrite contre tout le monde; on traite les «autres» d'égoïstes; on se dit profondément malheureux et on vieillit ainsi sans jamais comprendre qu'en fin de compte, c'est dans l'INSTANT PRESENT qu'il fallait être heureux.

Deuxième partie

LE
BONHEUR
ET
LES AUTRES

8

Faites connaissance avec les gens

Jusqu'ici, notre étude sur le bonheur s'est limitée à soi-même. Dans les sept premières leçons de ce livre, nous avons vu que le bonheur, ce trésor que tant de gens recherchent avec ardeur mais parviennent rarement à découvrir, peut être partout à la fois et nulle part. Apprendre à s'aimer, à faire connaissance avec soi-même, à s'évaluer à sa juste valeur, à se débarrasser une fois pour toutes de ses complexes d'infériorité, à cesser de se bloquer mentalement dans le passé ou de s'accrocher exclusivement à l'avenir mais vivre plutôt dans l'instant présent; ce sont toutes là des leçons de base qui sont très importantes; leçons dont il importe de bien saisir le sens afin d'être en mesure de goûter, puis de savourer pleinement toutes ces petites occasions de bonheur qui se présentent sans cesse à la porte de notre vie. Donc, jusqu'à présent, nous avons vu jusqu'à quel point il est important d'apprendre à s'aimer, à se connaître, à se comprendre, à s'accepter pour pouvoir être vraiment heureux.

Nous voici maintenant arrivés à un tournant important dans notre étude sur le bonheur. Après avoir suffisamment mis l'accent sur soi-même, nous allons à présent ouvrir grandement les yeux de notre entendement, élargir les horizons de notre faculté de raisonner, user pleinement de notre intelligence et prendre enfin conscience du fait important que sans les «autres», sans le précieux foyer de chaleur intense dégagée grâce au contact assidu de nos semblables, aucun véritable bonheur, vraiment digne de s'appeler «bonheur» ne saurait être possible. Maintenant, après avoir considéré toute l'importance qu'il y a à établir de bons rapports avec soi-même si on tient à être heureux, nous verrons jusqu'à quel point peut être vitale la connaissance, puis le contact sincère avec les autres, nos semblables.

Bien souvent des personnes ont tenu le raisonnement suivant: «Je n'ai besoin de personne!», «Je suis capable de me débrouiller tout seul!», «Je me fiche éperdument des autres!», «Moi, je me suis fait tout seul!» etc, etc... Mais, quand on y pense sérieusement, peut-on prétendre qu'on n'a pas besoin des autres, qu'on s'est fait tout seul, que nos réussites ne dépendent que de «nous» et de personne d'autre; qu'on peut vivre tout seul dans son coin, en ermite, et se ficher du reste de l'humanité? On dit toujours que derrière tout homme qui réussit, il y a une petite femme compréhensive qui a collaboré et participé assidûment. Non, personne ne peut prétendre s'être «fait tout seul», ni proclamer ne pas avoir besoin des autres. Derrière tout médecin qui s'enrichit, il y a des malades qui souffrent et endurent la maladie; et derrière la reine, il y a de nombreux sujets qui entretiennent le trône grâce aux lourds impôts payés.

Quand nous crions que nous sommes heureux, qu'est-ce qui nous rend vraiment heureux? Le fait de vivre dans la totale solitude, coupé de tout lien nous unissant à nos semblables? Prétendons-nous être heureux quand nous n'avons plus d'amis, personne qui nous rende visite? Non, quand nous sommes seuls, isolés du monde, nous nous disons malheureux; mais quand nous déclarons à tout le monde que nous sommes heureux, vraiment heureux et que «tout va très bien», c'est toujours parce que quelqu'un d'autre a contribué à ces nombreux «petits bonheurs» que nous sommes en train de savourer avec joie. Nous déclarons être heureux parce qu'un de nos semblables est venu ensoleiller notre vie.

Durant toute ma vie, je n'ai encore rencontré personne qui, étant seul, isolé des autres, sans amis et sans famille, puisse se déclarer, en toute sincérité, être pleinement heureux.

Un beau jour, un des journaux locaux me téléphona pour m'aviser que je venais d'être l'heureux gagnant d'un bon d'achat de cent dollars en produits de beauté, suite à un concours gratuit organisé au profit des lecteurs. J'étais très heureux de cette bonne nouvelle. Je venais de gagner un prix, tout à fait par hasard, et j'en éprouvais une grande joie. Pourtant, le prix consistait en un bon d'achat de produits de beauté pour «femme». Comment se fait-il que moi, un homme, j'aie pu éprouver autant de bonheur à gagner un prix consistant exclusivement en produits que seule une femme peut employer? Deux raisons importantes y contribuaient: d'abord, mon bonheur résidait dans le fait d'avoir partagé cette bonne nouvelle avec les membres de ma famille; ensuite, le fait de profiter de cette occasion impromptue afin d'offrir un beau cadeau à mon épouse me permettait d'éprouver pleinement ce parfait bonheur qu'on ressent quand on donne un cadeau à un être cher; lorsqu'on sent bien que, grâce à notre geste, une personne que l'on aime est heureuse.

Une bonne nouvelle ne procure pas de la joie du seul fait qu'elle soit une bonne nouvelle. Mais une bonne nouvelle nous réjouit et nous rend pleinement heureux seulement QUAND on en parle aux autres, quand on la partage avec ceux qui nous sont chers. Comment peut-il être possible à un individu qui reçoit une bonne nouvelle de savourer pleinement le bonheur immédiat procuré par l'annonce d'une bonne nouvelle s'il ne la partage pas avec les autres? On «goûte» un petit ou un grand bonheur quand on nous annonce une bonne nouvelle; mais on «savoure» pleinement un bien plus grand bonheur à l'instant même où on partage cette bonne nouvelle avec nos semblables. Une femme n'est pas heureuse uniquement parce qu'elle est en train de se payer enfin le beau manteau de fourrure pour lequel elle a tant économisé. Non, une femme est pleinement heureuse de posséder un magnifique manteau de fourrure à l'instant même où elle le porte, quand ses voisines et amies la complimentent au sujet de son vêtement. Posséder un manteau de grand prix accroché dans une penderie ne procure aucune sorte de joie, ni bonheur; mais se faire dire par son mari et ses amies que son manteau lui va bien, qu'il est très beau, voilà un petit, ou un grand bonheur secret que peut savourer pleinement celle qui porte le manteau.

De coutume, deux ou trois fois par mois, ma fille et mon gendre, bien qu'habitant une ville quelque peu éloignée, se font le devoir de se joindre à nous pour passer le week-end. Nous adorons leur petite fille âgée de dix-sept mois. A chaque fin de semaine, je goûte et savoure pleinement de nombreux «petits bonheurs» en jouant, parlant et posant toutes sortes de questions à ma petite-fille. Et le dimanche au soir, quand ils nous quittent, c'est toujours avec tristesse que je les regarde s'en aller. Sans les autres, sans les visites de ma fille, mon gendre et notre petite-fille adorée, il me serait impossible de savourer pleinement le bonheur que je ressens à parler, à «vivre» avec eux. Certes, je goûte sans cesse au bonheur d'être le grand-père d'une petite fille aussi mignonne, mais ce bonheur continuel, je ne puis le «savourer» pleinement que lorsque nos enfants viennent nous visiter. On peut goûter, en pensée, un certain bonheur en se remémorant le repas délicieux qu'on a dégusté au restaurant il y a un mois; mais on ne peut savourer pleinement tout le bonheur qu'il y a à déguster le mets de son choix qu'en allant au restaurant. Donc, nos petits bonheurs deviennent complets et ne se savourent pleinement que lorsque nous sommes avec ceux qu'on aime, nos semblables.

Pour ces raisons, celles citées plus haut, il importe de faire connaissance avec les gens; de les fréquenter, les visiter, leur parler, rire avec eux, partager ensemble nos joies, nos tristesses et nos

95

ambitions. Mais il est encore une autre raison pour laquelle il est très important pour nous de faire connaissance avec nos semblables.

Durant ma vie, j'ai souvent remarqué, en moi et autour de moi, que l'un de nos pires problèmes, qui nous cause bien des ennuis, à nous les êtres humains, c'est le fait de nous déprécier constamment. Nous nous regardons dans un miroir et, je ne sais pas si cela tient au fait que nous soyons devenus trop intimes avec nous-mêmes, nous ne voyons plus qu'une chose dans la glace: de nombreux petits défauts qui nous rendent malheureux. Qu'il nous est donc difficile de nous aimer vraiment, nous accepter tels que nous sommes. Le commandement nous ordonnant d'aimer nos semblables, nous n'avons pas de difficulté à l'accepter comme quelque chose de logique et raisonnable; mais celui qui nous ordonne de nous aimer - «Tu aimeras ton prochain comme TOI-MEME» - que de difficultés nous éprouvons à l'appliquer à nous-mêmes!

Mais voilà comment, étant donné la grande difficulté que nous éprouvons à nous aimer, à nous accepter, le fait de faire plus ample connaissance avec nos semblables peut nous être salutaire. Quand nous nous isolons du reste de l'humanité, nous avec nos innombrables complexes perpétuels, nous passons tout notre temps à rabâcher en notre esprit nos imperfections et nos défauts et aussi ceux des autres qui, au fond, n'en sont pas toujours. C'est ainsi que de nombreuses personnes, qui s'isolent du reste du monde, qui s'isolent avec leurs complexes et leur sous-estime de soi, arrivent finalement à ne plus s'accepter du tout, à se haïr même. Mais quand, malgré tous ces aspects de notre personne, et aussi de celle d'autrui qui nous choquent, nous nous donnons la peine de lier connaissance avec les gens, de se mêler aux autres; à rire et à pleurer avec eux, on ne tarde pas à constater qu'il n'y a pas seulement nous ou les autres qui sont imparfaits. Le contact assidu avec nos semblables nous permet très vite de prendre conscience du fait que nous TOUS, les hommes, les femmes et enfants qui circulent sur cette planète, nous sommes pas mal sur le même pied d'égalité en ce qui concerne le domaine de l'imperfection. Et quand on réalise enfin ceci, que TOUS les êtres humains sont égaux, se valent et se complètent, ce qui ne peut se constater que par le contact avec les autres, on n'a plus alors aucun complexe envers sa personne ou envers qui que ce soit d'autre. On commence alors à se voir avec les yeux du coeur et à se dire qu'au fond, nous aussi, nous sommes bel et bien des êtres humains, y compris les autres.

Notre société d'aujourd'hui est malheureuse parce qu'elle est devenue un agrégat d'individus solitaires. Depuis le début de notre vingtième siècle, nous avons élaboré et mis sur pied toutes sortes de nouvelles techniques en espérant que notre science moderne nous permettrait de goûter et savourer pleinement de nouveaux bonheurs jusqu'alors insoupçonnés. Mais quand nous regardons évoluer les individus de notre temps, nous constatons avec effroi jusqu'à quel point ils sont malheureux.

Tous ces foyers brisés, ces divorces; tous ces enfants délaissés, cette délinquance juvénile; tous ces crimes, ces mésententes et cette haine collective qu'on se voue; oui, tout ce dont nous sommes témoins de nos jours est là l'indice certain qu'une importante vague de fond, une vague génératrice de nombreux malheurs, est présentement en train de secouer notre pauvre humanité qui ne continue pas moins à chercher au mauvais endroit une certaine somme de bonheurs, mais qu'elle ne parvient jamais à saisir.

De nos jours, les salles d'attente des cliniques psychiatriques sont remplies à craquer d'individus nerveux qui, solitaires et malheureux, cherchent une sorte de solution palliative à leurs problèmes. Certaines personnes doivent même se résigner à attendre plusieurs mois avant de pouvoir enfin se faire inscrire sur une liste de rendez-vous d'un psychiatre quelconque. Dernièrement, un de mes amis, psychiatre, me disait qu'au fond, ce dont tous ses patients, ou à peu près, ont le plus besoin, c'est de faire connaissance avec leurs semblables, apprendre à communiquer avec les membres de leur famille.

Chaque être humain a trois besoins fondamentaux à combler: le besoin d'aimer et d'être aimé; celui de se sentir pleinement utile, et aussi celui d'être compris par ses semblables. Alors que tant de gens cherchent, dans la pilule miracle, le moyen de satisfaire ces trois besoins fondamentaux innés de chaque être, il suffit de faire connaissance avec ses semblables, «s' parler» comme on le chante si bien, pour enfin satisfaire à satiété ces trois nécessités psychologiques.

Pour être heureux, être vraiment heureux et être en mesure de pouvoir profiter pleinement de chaque occasion de bonheur légitime au fur et à mesure qu'elle frappe à notre porte, nous avons absolument besoin de nos semblables. Chaque être humain ressemble à un îlot qui vogue çà et là sur la mer de l'humanité. Mais il ne s'agit pas là d'un îlot ordinaire. Chaque être humain est un îlot rempli de connaissances pratiques, d'expériences de la vie qui sont bien personnelles et de possibilités insoupçonnées de bonheur. Alors que tant d'individus tentent de devenir de plus en plus individualistes de nos jours, ce n'est pourtant qu'en entretenant scrupuleusement les nombreux ponts qui peuvent nous relier avec nos semblables qu'il nous est alors possible de profiter pleinement de toute cette somme de connaissances pratiques, ce capital inexploré d'expériences humaines et ces possibilités intarissables de bonheurs ininterrompus dont sont dotés les millions et milliards de «petits îlots» qui nous entourent.

En faisant connaissance avec nos semblables, on complète la somme de données pratiques qui sont emmagasinées dans notre cerveau depuis le premier jour de notre existence. Si nous multiplions par quatre milliards les quelque trente milliards de circuits qui composent notre merveilleux cerveau, alors on peut facilement imaginer jusqu'à quel point quelles possibilités de réalisation, de bonheur et de joie de vivre peuvent nous être rendues possibles.

En faisant conaissance avec nos semblables, nous leur permettons de nous découvrir, nous connaître pleinement. Ainsi, nous étant devenus plus familiers, connaissant nos possibilités, nos ambitions et aussi nos faiblesses, nos semblables se sentiront toujours à l'aise de nous donner ce petit conseil salutaire et amical qui peut nous épargner bien des problèmes. Et si les autres se sentent très à l'aise avec nous, ils peuvent ainsi devenir nos confidents et nous permettre d'éprouver pleinement ce profond soulagement qu'on ressent quand on se confie à autrui.

En faisant connaissance avec nos semblables, nous sommes mieux à même de les connaître, les comprendre, leur venir en aide; ouvrir pleinement les portes de leur coeur en leur permettant de connaître, goûter et savourer pleinement les nombreux «petits bonheurs» quotidiens qui se présentent sans cesse à eux mais qu'ils seraient incapables de saisir fermemant sans notre précieux concours. Et toute cette joie qu'on sème dans le coeur de nos semblables produit, ou produira, un jour ou l'autre, de splendides fruits d'amour, de bonté, de compassion, de patience, de joie de vivre et d'encouragement; en somme, des fruits qui ne manquent pas de nous régaler à satiété un jour ou l'autre étant donné que quoi que l'on sème, on ne manque pas d'en profiter grandement tôt ou tard.

En faisant connaissance avec nos semblables, nous sommes plus à même de savourer pleinement ce parfait bonheur qui consiste à donner. On dit depuis des millénaires qu'«Il y a plus de bonheur à donner qu'à recevoir», ce qui est très exact. En effet, quand on donne un sourire à autrui, qu'on donne de son temps, de sa bonté, de son amour, de sa compassion, de son pardon, de sa compréhension, soit toutes ces denrées précieuses qu'on ne trouve pas sur les tablettes des marchés d'alimentation, ni devant l'appareil de télévision, on savoure pleinement un bonheur qui ne s'explique pas. Il nous est impossible d'expliquer avec exactitude comment il se fait que nous éprouvions tant de joie à faire plaisir aux autres, à rendre un petit service, à donner un petit cadeau à une personne qui le mérite bien; cependant, une chose est certaine: le fait de donner quelque chose à autrui nous rend heureux. On ne sait pas pourquoi, mais c'est ainsi et pas autrement. Mais en fait, devrait-on se surprendre d'être en tout point doté des merveilleux attributs de l'auteur immensément généreux de notre vie?

Faire connaissance avec les gens, c'est aussi apprendre à les écouter. De nos jours, tout le monde veut être écouté et est persuadé d'avoir quelque chose d'important à dire à ses semblables. Malheureusement, si tout le monde insiste pour être entendu et écouté, fort peu de gens sont disposés à écouter les autres quand ils parlent. Trop souvent, on se considère comme le «nombril» du monde, une sorte de merveille d'intelligence et de sagesse autour de laquelle doivent absolument se brancher les autres. Mais quand on cultive, avec humilité, la bonne habitude d'écouter les autres quand ils nous parlent, on ne met pas grand temps à réaliser jusqu'à quel point peut être limitée l'étendue de nos connaissances et minime notre sagesse. Ecouter attentivement ce que les autres ont à nous dire, voilà une douche d'humilité qui ne peut manquer de nous éveiller à la vie qui s'agite tout autour de nous.

Certes, il est essentiel de se connaître personnellement, d'apprendre à s'aimer, s'accepter et s'estimer à sa juste valeur. C'est là une condition essentielle à remplir si nous voulons ouvrir notre intelligence aux nombreuses possibilités de bonheur qui s'offrent à chacun de nous. Cependant, la connaissance de soi, l'amour de soi, l'acceptation de soi, l'exploration de soi n'ont de sens que si l'acquisition de toutes ces connaissances de soi nous servent de tremplin et nous ouvrent la voie qui mène à la connaissance des autres, de nos semblables. Car sans le précieux complément des autres êtres humains qui nous entourent et que nous côtoyons quotidiennement, il est tout à fait impossible de savourer pleinement et à satiété les innombrables occasions de bonheurs nouveaux qui se présentent sans cesse à nous.

Le bonheur n'est pas fait pour être «avalé» égoïstement et goulûment. Non! Il est fait pour être goûté délicatement; n'a de sens que s'il est partagé et savouré avec ceux qui nous sont chers, avec les autres êtres humains, nos frères et nos soeurs, hommes et femmes et petits, qui nous entourent. Finalement, tout ceci n'est rendu possible qu'à la condition de commencer par le commencement, c'est-à-dire FAIRE CONNAISSANCE AVEC LES GENS.

9

Que votre langage soit toujours bien assaisonné

On dit que trop parler nuit, et que pas assez détruit. On dit aussi, à propos de la parole, qu'il faut tourner sa langue sept fois dans sa bouche avant de «se taire». Il a même été déjà dit, toujours à propos de la parole, que si les humains habitant notre planète ne parlaient qu'en connaissance de cause, un silence de mort régnerait sur notre globe. Ces pensées révèlent au moins une chose au sujet de la parole: parler est tout un art.

Dans la leçon précédente, l'accent a été mis sur l'importance qu'il y a à faire connaissance avec les gens. Comme démontré, sans le précieux concours de nos semblables, nous serions privés de nombreux «petits bonheurs» quotidiens. Et s'il est important de faire connaissance avec les gens, il est vital, pour pouvoir y parvenir, de converser, de dialoguer avec les autres.

La langue est vraiment un petit membre formidable. Grâce à elle, nous sommes en mesure de goûter les dizaines d'aliments que nous mangeons; et grâce aussi à elle, nous sommes à même d'enflammer la roue de la vie sur la terre. La langue est faite de muscles tellement puissants qu'elle ne se fatigue jamais. Notre esprit peut se fatiguer à force de se concentrer sur un travail mental quelconque. Notre corps peut se fatiguer à force de s'adonner à un travail physique épuisant. Mais la langue, elle, a beau parler durant des heures et des heures, elle ne se fatigue jamais.

La langue a un tel pouvoir qu'un disciple chrétien, Jacques, écrivit d'elle qu'elle est comparable au mors que l'on met dans la bouche des chevaux pour les diriger et au gouvernail qui permet de gouverner le plus grand des navires. Mais Jacques donne une autre définition de la langue. Il la compare à une toute petite allumette qui peut embraser toute une forêt. Finalement, il ajoute que celui qui parvient à maîtriser sa langue peut facilement maîtriser toute sa personne.

En effet, combien de fois nous nous surprenons à dire des paroles inconsidérées, qu'en réalité l'on ne voulait exprimer, si bien qu'on s'exclame «ce n'était pas exactement ce que je voulais dire». Mais l'inconvénient avec la langue, c'est qu'une fois que les mots sont sortis de la bouche, ils ressemblent à une boule de billard qui vient d'être frappée. Elle s'en va, roule et se heurte à d'autres boules. En fin de compte le jeu se modifie au fur et à mesure que les coups sont portés sur les boules de billard. Le même phénomène se produit quand on parle. Les oreilles d'autrui captent chaque mot qu'on prononce. Si ce ou ces mots étaient uniquement captés par l'ouïe, ce ne serait pas trop pire; mais le plus souvent, cela va beaucoup plus loin. Ils sont instantanément enregistrés par l'ordinateur mental de nos auditeurs, lequel ordinateur les grave à jamais sur les clichés du cerveau. Qui pis est, plus aucune force au monde ne peut effacer ces mots, enrayer cette parole prononcée, laquelle se trouve à présent inscrite de façon indélébile dans la pensée de celui ou de celle qui l'a entendue.

On comprend donc jusqu'à quel point les mots que nous prononçons peuvent avoir de l'importance. En effet, qui parle trop ne manque pas de s'attirer des ennuis, de se causer du tort souvent irréparable. Qui parle trop peut blesser ses semblables, éloigner à jamais ses amis. En somme, quiconque a la mauvaise habitude de laisser «échapper» des mots dont il sous-estimait la portée s'expose à subir bien des malheurs inutiles.

Cependant, il ne faudrait pas en conclure que dans ces conditions, il est beaucoup plus sage de se taire, de ne rien dire à personne. Non, agir de la sorte n'est pas plus sensé que de trop parler. Il ne faut pas oublier que si le fait de trop parler nuit, celui de ne pas s'exprimer comme il le faudrait, en exposant les détails utiles, soit suffisamment, peut détruire.

Très souvent, des couples mariés se séparent faute de dialogue, parce que les époux ne communiquent pas assez. De nos jours, le foyer est devenu une sorte de station de service où l'on n'entre que pour faire le plein, et dont les membres de la famille constituent les clients. On voit souvent des maris rentrer chez eux, le soir après leur journée de travail, s'attabler, avaler goulûment le délicieux repas préparé par leur femme sans même prendre le temps de le déguster. Ensuite, le plein une fois fait, ils vont s'écraser devant l'appareil de télévision jusqu'à ce que le poste de la station émettrice leur dise d'aller se coucher. Et ces maris sont souvent les premiers à se plaindre et à «ne pas comprendre» comment il se fait que leur femme s'ennuie à la maison. Ils ne comprennent pas non plus comment il se fait que leur fils, leur fille qu'ils aiment tant se soient adonnés à la drogue.

De nos jours, les gens ne se fréquentent plus, ne se parlent presque plus. Nous vivons dans un monde de solitaires, dans un monde où la plupart de nos semblables s'ennuient. Passer toutes ses soirées, écrasé devant le petit écran et connaître par coeur l'horaire de tous les programmes présentés à la télévision, c'est ça l'ennui. On est malheureux, et on se rend inutilement malheureux, tout simplement parce qu'on a perdu tout goût à la conversation. Nos parents nous ont transmis les mots qui composent notre vocabulaire mais nous n'avons jamais vraiment appris à parler, à converser, à entreprendre le véritable dialogue avec nos semblables. Voilà la raison principale de certains de nos nombreux malheurs.

On n'a qu'à constater ce qui se passe dans notre monde. De nombreux conflits entre les nations. Des conflits de travail éclatent et durent de nombreux mois faute de vrai dialogue. On pense, et on croit souvent, que le fait de s'asseoir à une table de négociation et d'exposer froidement ses griefs, ses exigences et ses ambitions, constitue là un réel dialogue. Mais dialoguer avec les gens, c'est, comme l'explique le Petit Larousse... «Faire des personnages entre eux... Conversation entre deux ou plusieurs personnes... Ensemble de paroles ECHANGEES ENTRE les personnages dans une pièce... Etc...»

Le genre de vie qui se déroule dans le monde politique et dans le domaine des relations publiques et commerciales est le reflet de celle qui se vit dans les foyers. Hommes politiques et hommes d'affaires n'arrivent pas à s'entendre. La même mésentente règne au sein des foyers dont ils prennent la tête.

Parler, converser, dialoguer avec les gens est une condition essentielle à remplir si nous tenons à faire plus ample connaissance avec nos semblables. Et vu l'importance que revêt la connaissance de nos semblables afin de nous permettre de goûter et savourer pleinement les nombreuses occasions de «petits bonheurs» qui se présentent à nous quotidiennement, il est donc vital pour nous d'apprendre à bien parler, à converser de la bonne façon avec ceux qui nous entourent.

C'est ici qu'intervient l'assaisonnement. Pourquoi aime-t-on déguster un délicieux pain de viande? Pourtant, un pain de viande est composé principalement de viande. Cependant, nous n'aimons pas tous les pains de viande, même s'ils sont tous faits de la même sorte de viande. Mais la différence entre les pains de viande, la différence de leur ressemblance, même s'ils sont préparés de la même sorte de viande, provient uniquement de leur assaisonnement.

C'est aussi la même chose pour les poulets barbecue. Bien que tous les poulets barbecue soient des poulets, comment se fait-il qu'ils n'aient pas tous le même goût? Comment se fait-il qu'on voie certains restaurants, dont la spécialité est le «poulet barbecue», être toujours remplis à craquer; tandis que d'autres restaurants, ayant aussi comme spécialité le «poulet barbecue», être presque déserts? La raison? L'assaisonnement! Présentant son poulet, la chaîne de restauration «Villa du Poulet» du Colonel Sanders, met l'accent non pas sur le fait que sa spécialité soit du poulet, mais de préférence attire l'attention sur le fait que son poulet soit délicieux au point de se «lécher les doigts». «Du bon poulet» comme dit le sympathique Colonel. Ceci à cause du secret de l'assaisonnement: «Onze épices et de fines herbes.»

Tout un chacun, à part les muets, est doté du don de la parole. Tout le monde possède un vocabulaire qui lui permet de dire des mots, de s'exprimer. Mais comment se fait-il que si peu de gens soient attirants? Comment se fait-il que tant de gens éprouvent autant de difficultés à établir des contacts amicaux avec autrui? Oui, comment se fait-il que tant de gens qui disent avoir du pain de viande ou du poulet à vendre, aient cependant tant de difficultés à avoir une bonne clientèle? Et comment se fait-il que tant d'autres, ayant pourtant beaucoup de «viande» à vendre, éprouvent tant de difficultés à ouvrir un restaurant, à faire comprendre aux autres qu'au moins ils existent? Le tout réside dans l'«assaisonnement». C'est dans l'art de converser, de dialoguer, de parler avec sa femme, son mari, ses enfants, son voisin, ses parents, ses amis, ses concitoyens qu'il faut chercher la cause de ses nombreux ennuis, de sa solitude et de ses déboires en général.

De nombreuses personnes ne profèrent que de dures paroles, et cela, sans considération aucune à l'égard de leurs semblables; puis elles se plaignent du fait que personne ne leur rende visite, que personne ne les fréquente, qu'elles n'ont pas d'amis; tandis que d'autres se détruisent à petit feu, se plaignent de leur timidité, leur solitude, leur incapacité de lier de nouvelles amitiés, tout simplement parce qu'elles ne s'efforcent pas, en toute bonne conscience, de cultiver cet art qui tend de plus en plus à s'éteindre de nos jours, savoir: APPRENDRE A BIEN CONVERSER AVEC SES SEMBLABLES.

Cet art qui consiste à assaisonner ses paroles de telle façon que tout le monde, et même le chien du voisin, soit heureux de vous visiter. Oui, même les petits chiens réagissent à l'art de parler!

Apprendre à bien assaisonner ses paroles commence d'abord au foyer. Cette détestable tendance consistant à parler inconsidérément aux membres de sa famille, à ceux qui nous sont chers, a toujours retenu mon attention. Illustrons ce fait par un exemple vivant, un exemple réel. Un jour, pendant que je me trouvais dans la salle d'attente d'un bureau d'avocat, j'ai vu un homme d'âge mûr qui, sortant d'un bureau et passant à portée de celui d'une jeune secrétaire, s'arrêta pour la taquiner et la complimenter pour sa jolie coiffure. Puis, s'en allant vers sa femme qui l'attendait, lui parla-t-il avec autant de gentillesse? Non! Il lui «ordonna» durement de se dépêcher d'enfiler son manteau pour ne pas le faire attendre. En effet, combien de fois voit-on des patrons se montrer très aimables envers leur jolie secrétaire et ne même pas adresser gentiment la parole à leur propre épouse, la mère de leurs enfants!

Très souvent, on est porté à rudoyer sa femme en lui parlant d'un ton dur. Souvent, la femme, elle, est plus portée à crier au lieu de converser gentiment. Souvent, les parents sont portés à frapper en criant toutes sortes d'ordres aux enfants, à les ridiculiser en public, à les humilier sans cesse. Pourtant, un homme s'adresserait-il durement à la reine Elisabeth? Non certes! Ce dernier choisirait des mots avec grand soin s'il devait s'adresser à la reine. Et qu'en est-il de sa femme que ce même homme appelle la «petite reine du foyer»? D'autre part il est certain qu'une femme devant s'adresser au premier ministre ne manquerait pas de faire un choix judicieux de ses mots. Mais qu'en est-il du mari? N'est-il pas en un certain sens plus important que n'importe quel premier ministre? Je le crois; car en plus de travailler dur pour subvenir aux besoins des siens, il paie en plus les impôts, lesquels contribuent à faire vivre le premier ministre qui gouverne le pays.

Et vous parents, imaginez pour un instant que René et Nathalie Simard, nos deux jeunes grands chanteurs nationaux, vous téléphonent pour vous dire qu'ils viennent dîner chez vous. Comment les recevrez-vous? Comment allez-vous leur adresser la parole quand vous vous trouverez à table avec eux?

Alors, pourquoi ne pas considérer vos enfants comme étant au moins sur le même pied d'égalité que les petits Simard? Combien de fois entend-on des adolescents se plaindre du fait que leurs parents ne parlent pas assez avec eux, que leurs parents ne les comprennent pas vraiment. Après avoir demandé aux enseignants à l'école de s'occuper de la formation morale, spirituelle, affective et sociale de ses enfants, on est maintenant tout désemparé de voir ces nombreux jeunes gens qui, chômeurs instruits, initiés à la drogue, livrés à l'immoralité sexuelle, découragés à en mourir, hantent lamentablement les rues de nos villes et nous arrivent un beau jour à la maison en déclarant solennellement que désormais, ils avaient conclu qu'il n'y avait pas de Dieu, qu'il fallait absolument légaliser l'usage de la drogue, que le travail était illusoire, que la virginité était quelque chose de démodée et ridicule, et que le fait de s'adonner à l'homosexualité n'était quand même pas aussi terrible que ça. De tels comportements se développent rarement dans des foyers où père et mère entretiennent et maintiennent un excellent dialogue entre eux d'abord, et avec leurs enfants ensuite.

Cultiver l'art d'avoir un langage assaisonné, c'est aussi de ne jamais s'abaisser au point de dire du mal de son prochain. C'est malheureux de voir tous ces gens qui s'abaissent en dévoilant les petites erreurs et manquements de leurs sembla-bles, en les ridiculisant en public à propos d'une certaine tare physique, soit en ne se gênant pas pour les humilier tout simplement.

Dévoiler les manquements d'autrui, ou se moquer de ses semblables, c'est se condamner irrémédiablement à la perte de ses meilleurs amis, à la solitude puis au malheur. Personne, absolument personne, n'aime voir les autres se moquer de sa personne, être ridiculisé ou humilié par les autres. Il est bien certain que les êtres intelligents ne s'abaisseront pas au point de vous rendre la pareille si jamais vous vous moquez d'eux, néanmoins vous pouvez être absolument certain que c'est là le moyen le plus efficace de perdre à jamais ses meilleurs amis. Si vous parlez en mal des autres quand vous êtes en compagnie de votre meilleur ami, gardez bien présent à l'esprit que tôt ou tard, votre ami vous abandonnera. Oui, car votre ami sait que si c'est là votre manière de vous comporter envers les autres, soit en usant de désobligeances à leur égard alors qu'ils ne sont pas présents pour pouvoir se défendre, vous agirez sûrement de la même façon. Cet ami finira par s'éloigner promptement de vous, à moins qu'il aime, lui aussi, se régaler des détritus de la vie, les faiblesses des autres.

Il existe des gens, et très nombreux sont-ils, qui ne parlent qu'en mal des autres. Dire sans cesse du mal des autres, c'est s'alimenter en se servant d'une cuillère vide; c'est négatif, peu nourrissant et monotone. Pourtant, dire du bien des autres est une condition essentielle au bonheur de toute l'humanité. Chaque être humain est doté d'un merveilleux subsconcient, et chaque subconscient ressemble à un immense champ, très fertile, dans lequel champ nous pouvons jeter ici et là toutes les graines des semences que nous voulons voir croître un jour ou l'autre. Donc, à chaque fois que nous disons du bien de nos semblables, nous jetons de toutes petites graines de semence du «bien» dans le subconscient des individus qui nous côtoient. Et tôt ou tard, à force de dire du bien des autres, ce bien commencera à germer, à croître, et à porter du fruit. Quand on voit le bien partout, qu'on le découvre, qu'on l'affirme, tout le monde est vite porté à faire «le bien». Que nos journaux se mettent spontanément à n'écrire que du «bien» concernant les gens plutôt que de remplir leurs colonnes des bassesses de l'humanité et vous verriez très vite toute l'humanité se transformer et être portée à pratiquer ce qu'elle aurait lu dans les colonnes des journaux positifs: le «bien».

Assaisonner son langage, c'est aussi pratiquer l'humilité lorsqu'on parle à autrui. De nombreux individus passent tout leur temps à ne parler que du seul sujet qu'ils connaissent vraiment: eux-mêmes. Un langage judicieusement assaisonné, c'est cet art de la conversation qui consiste à mettre sa petite personne de côté, de cesser de fatiguer les autres à propos de SOI-MEME, de SA femme, de SON mari, de SES enfants, de SA maison, de SON automobile, de SON travail, de SON argent, de SES capacités. Oui, bien converser, c'est mettre tous ces «MA, MON, MES» de côté et s'intéresser un peu plus aux paroles constructives que peut aussi nous dire notre interlocuteur ou interlocutrice, soit l'autre avec qui nous conversons.

Assaisonner son langage d'épices convenables, c'est aussi se garder absolument de la calomnie. Calomnier son prochain, c'est jouer avec un boomerang mortel. Calomnier son prochain parce qu'on le jalouse, c'est sous-estimer le degré d'intelligence des gens qui nous écoutent. Les gens avec lesquels on parle ne sont pas aveugles. Un jour ou l'autre, ils discerneront si ce dont on calomnie autrui est vrai ou faux. Et un jour ou l'autre, la calomnie dont cette personne est l'objet finira par lui parvenir à l'oreille. Et à ce moment-là, malheur à celui ou celle qui, inconsidérément ou jalousement, a donné naissance à la calomnie. Il ne faut donc jamais jouer avec un tel boomerang. Il revient toujours frapper de plein fouet quiconque l'a lancé dans les airs.

L'art de bien assaisonner ses conversations, c'est aussi éviter de s'éterniser sur des sujets qui, nous tenant à coeur, peuvent fatiguer et même irriter les autres. L'art de converser, c'est comme l'art de bien manger, il faut toujours sortir de table avec encore de l'appétit. Oui, l'art de converser, c'est d'arrêter de parler alors que nos interlocuteurs ont encore le désir, ou le goût d'entendre d'autres choses. Ainsi, ils restent sans cesse sur leur appétit et sont toujours heureux de nous revoir.

Bouddha le sage a dit, dans son crédo, qu'il ne «faut jamais faire aux autres ce qu'on n'aimerait pas qu'ils nous fassent»! Voilà qui est pas mal négatif. Il est bien certain qu'en ne conversant jamais avec les gens, on ne fera jamais de mal, on ne pourra donc jamais s'attirer des ennuis. Il semble que ce soit là le crédo qu'aient adopté bien des maris, des femmes, des patrons et des employés à notre époque, mais avec quels résultats désastreux: les gens se meurent d'ennui, souffrent de solitude, végètent dans l'incompréhension.

Le négativisme détruit. Ce n'est pas le fait de s'isoler des gens qui résoudra le problème qui consiste à trop, ou mal parler. Ce qu'il faut, c'est de cultiver l'art consistant à s'appliquer à toujours prendre le temps de réfléchir avant de parler. Toujours choisir convenablement les mots qu'on va dire AVANT qu'ils sortent de sa bouche, soit bien les assaisonner. Et plutôt que d'adopter l'attitude négative mentionnée dans le crédo de Bouddha, lors de nos conversations, ce qu'il convient de faire, qui est essentiel même, c'est de suivre le judicieux conseil renfermé dans un autre crédo, le Sermon sur la montagne, sermon que prononça le fondateur du vrai christianisme, Jésus, judicieux conseil que voici: «Tout ce que vous voulez que les hommes fassent pour vous, vous devez VOUS AUSSI, le faire de même pour eux; c'est là toute la loi et les prophètes!» Et à tout considérer, il vaut mieux se repentir d'avoir fait une erreur parce qu'on a agit, fait quelque chose, que de se repentir de n'avoir jamais osé agir.

10

Semez de la joie
et vous récolterez
du bonheur

Tout au long des pages de ce livre, je fais sans cesse allusion à cette merveilleuse loi de la récolte, loi dont nous ne manquons pas de voir les nombreux effets perpétuels qui se font sentir tout autour de chacun de nous. En effet, quoi que l'on sème, c'est toujours ce que l'on doit s'attendre à récolter un jour ou l'autre. Cette loi de la semence et de la récolte prévaut aussi bien dans nos rapports avec nos semblables que dans la création animée tout entière. Dépendant de nous, les gens peuvent être malheureux ou heureux. Et dépendant aussi de nous, nous pouvons, et nous possédons le pouvoir, tout au long de notre vie, de rendre les autres heureux.

Rendre les autres heureux, leur faire plaisir, ensoleiller leur vie, voilà ce qui ne doit pas être laissé simplement à notre discrétion. Rendre les autres heureux est une nécessité, un devoir que chaque être humain se doit d'accomplir le plus scrupuleusement possible. Car rendre les autres heureux, c'est semer du bonheur dans le sol de la vie. A chaque fois qu'on fait plaisir à quelqu'un, qu'on réjouit son coeur, on se trouve à semer, ici et là sur la route de notre vie, de minuscules petites graines de joie. Et, grâce à la prodigieuse loi de la semense et de la récolte, loi sans cesse en action, la graine minuscule de joie qui a été semée croît, un jour ou l'autre, pour devenir un magnifique arbre de bonheur qui ne manque pas de nous rafraîchir. Donc, semer de la joie dans les sillons de la vie des autres, c'est se constituer un solide et très précieux capital-bonheur dans lequel nous pourrons puiser largement tout au long de notre vie.

«Désormais, dit madame Lafortune, à Jeanne sa nouvelle bonne, je vous appellerai Monique!» «Mais, madame Lafortune, de répondre Jeanne, je ne m'appelle pas Monique. Je viens de vous dire que mon nom est Jeanne.» «Je sais que votre nom est Jeanne, d'enchaîner froidement la patronne. Mais comme mon ancienne bonne s'appelait Monique et que je n'aime pas changer mes habitudes, je vous appellerai donc Monique.» «Alors, comme vous voudrez madame. Etant donné que moi aussi je déteste changer mes habitudes, je vais dorénavant vous appeler Madame Laframboise, nom de mon ancienne patronne!» Cette petite histoire permet de mieux comprendre quelles conséquences néfastes peuvent surgir dépendant de la façon dont nous traitons nos semblables.

Se montrer dur avec les gens. Rudoyer les autres, que ce soit en actes ou en paroles. Se montrer insensible, indifférent envers les besoins d'attention, de compréhension et d'affection de ceux qui nous frôlent sans cesse, c'est se réserver une cruelle douche d'indifférence quand, un beau jour, nous en arriverons à notre tour à avoir besoin d'attention, de compréhension et d'affection. A ce moment-là, tout ce que nous n'aurons pas pris soin de faire pour autrui, nous ne devrons jamais nous attendre de recevoir ce dont nous n'avions toujours que l'intention de donner à ce même autrui, mais que l'abondance de nos occupations égoïstes nous empêchait de discerner. Par contre, qui se montre consolant envers son prochain, AUJOURD'HUI; se montre encourageant, édifiant, AUJOURD'HUI, cet être-là ne doit jamais avoir peur de manquer, si jamais le besoin se faisait sentir un jour, et il viendra ce besoin, d'amis loyaux, fidèles et reconnaissants qui s'empresseront de lui rendre au centuple tout le bien qu'il aura fait à ses semblables dans le passé.

Certes, il est tout à fait probable, quand vous rendez service à quelqu'un, que vos bonnes actions ne vous seront pas toujours rendues par cette même personne à qui vous aurez démontré de la sollicitude. Mais, et c'est bien cela qu'il importe de toujours garder bien présent à l'esprit, la loi de la semence et de la récolte est, comme un fidèle flambeau d'espoir et de bonheur, toujours là bien présente afin d'assurer le juste équilibre de la vie. Le bien que l'on fait, qu'on disperse çà et là comme une minuscule graine de blé que l'on enfouit sous terre, nous revient toujours, mais au centuple, sous une forme de bonheur quelconque. Cela rejoint bien la pensée suivante: «Il y a toujours un peu de parfum qui adhère à la main qui présente une rose.»

On peut semer de la joie dans le coeur de nos semblables de plusieurs façons. Mais dans la présente leçon, nous ne parlerons que de deux en particulier. Et ces deux sont constamment à notre portée. En effet, chaque nouveau jour qui se présente à nous crée de nombreuses occasions d'avoir des paroles encourageantes envers les gens que nous côtoyons, et aussi de prodiguer des compliments sincères à tous ceux qui font vraiment leur possible de bien mener leur vie. Distribuer des compliments sincères et encourager notre épouse, notre mari, nos enfants, le voisin, tout le monde, voilà de quelles façons on peut semer tout au long de chaque journée de notre vie des graines de joie dans les sillons de la vie de nos semblables.

On a beau être des adultes, des hommes et des femmes robustes, nous avons constamment besoin des encouragements édifiants de nos semblables afin d'être toujours en mesure de pouvoir continuer de bien remplir notre mission en ce monde. Et si le besoin constant d'encouragements se fait sentir chez les êtres humains adultes, on peut donc s'imaginer comment il peut être intense chez les adolescents, et aussi chez les plus jeunes.

On peut facilement constater jusqu'à quel point le besoin de recevoir des encouragements peut s'avérer nécessaire, essentiel même, en observant ce qui se passe dans le monde du sport. Très souvent, on a vu des champions devoir leurs magnifiques succès à leurs supporteurs qui les encourageaient fortement de «continuer», de «ne pas lâcher».

Quand Jules Verne acheva la rédaction de son premier livre «Cinq semaines en ballon», il le présenta à quinze éditeurs qui le refusèrent tous. Déçu et découragé, il jeta le manuscrit au feu. Cette abondante oeuvre littéraire, riche en «science-fiction» serait restée jusqu'ici dans le domaine de l'inconnu, n'eut été le courage de sa dévouée épouse. Voyant que le précieux manuscrit allait être la proie des flammes, elle se précipita vers le foyer, en arracha le document et parvint ainsi à le sauver. Grâce aux nombreux encouragements qu'elle prodigua à son mari, ce dernier, le moral remonté, trouva assez de courage pour aller présenter son livre à un seizième éditeur. Et on connaît la suite. Ce seizième éditeur accepta de publier le manuscrit qui eut un succès énorme: «Cinq Semaines en ballon» est vite devenu un «best-seller» et fut traduit dans presque toutes les langues. Et c'est à partir de ce premier livre, ce premier grand succès, que Jules Verne a pu entreprendre sa glorieuse aventure de grand écrivain de romans de science-fiction. N'eut été des encouragements venant de sa femme, Jules Verne serait sans doute resté un agent de change durant toute sa vie et le monde aurait été privé de son imagination florissante à partir de laquelle de nombreuses inventions furent devenues possibles.

Très souvent, ce n'est que le fait de recevoir un encouragement de la part d'une épouse, d'un mari, d'un parent, d'un ami qui établit toute la différence entre un échec et un succès. Nous avons tous le désir de faire quelque chose d'utile, de constructif, de nous améliorer; mais sans les encouragements édifiants venant de ceux qui nous entourent, nous serions souvent enclins à abandonner la partie. Un encouragement, c'est une incitation profonde à mieux faire, à se dépasser, à aller sans cesse de l'avant sans reculer. Quiconque cultive l'art de transmettre des encouragements tout autour de soi, cet être-là ne manque pas de semer la joie dans le coeur de ses semblables. En effet, que nous sommes heureux de réussir dans un projet qui nous tenait à coeur quand une épouse, ou un ami sincère nous a fortement édifié par ses encouragements. Et celui de qui émanent de tels encouragements ne manque pas de se régaler un jour ou l'autre des nombreux fruits de bonheur qui rejaillissent sur lui à la suite des petites graines de joie qu'il avait semées.

Outre les encouragements, nous avons tous à la portée de notre main de nombreuses occasions d'adresser des compliments sincères à autrui. Dale Carnegie a même écrit que l'homme qui prend le soin d'adresser des compliments sincères à sa femme, cet homme-là peut s'attendre à toujours festoyer comme un roi. Cet auteur bien connu a même déjà écrit que la femme qui reçoit des compliments sincères de la part de son mari serait prête à s'«immoler» dans le fourneau de la cuisinière électrique tellement elle serait disposée à tout faire pour plaire à son mari à la suite des compliments qu'il lui a adressés.

Sans aller jusqu'à l'immolation de soi, j'ai souvent constaté combien les compliments sincères présentés à son conjoint peuvent s'avérer efficaces dans la recherche du bonheur conjugal. Un après-midi, vers les cinq heures, je regagnais mon foyer, tenaillé par une faim de loup. Outre cette faim, j'en avais par dessus la tête tant ma journée avait été parsemée de difficultés de toutes sortes: pressions, contrariétés, etc...

Comme le font souvent les hommes en général, quand sur le soir ils regagnent le domicile après une dure journée de travail, je ressentais le vif besoin de me défouler sur quelqu'un. Constatant à mon arrivée que le souper n'était pas prêt, j'avais de ce fait une bonne occasion de me défouler sur ma femme à propos de toutes les difficultés que j'avais eues tout au long de cette mauvaise journée. Je ne sais exactement ce qui s'est passé, mais subitement, je me suis souvenu de ce que j'avais lu la semaine précédente dans un livre de Dale Carnegie, «Comment se faire des amis». L'idée de faire un compliment à sa femme lorsqu'elle est très occupée par la préparation d'un repas, me vint à l'esprit. Alors, mettant de côté mes nombreux soucis, et m'oubliant un instant, je me dirigeai vers la cuisine et j'abordai ma femme en la complimentant à propos de cette odeur alléchante qui se dégageait des plats qui mijotaient sur le poêle. Et, la prenant dans mes bras, je lui adressai des compliments pour ses excellents talents de cuisinière.

Eh bien, l'effet fut instantané. Je sentis ma femme rajeunir de vingt ans tellement son visage devint radieux et souriant. J'aidai ma femme à mettre le couvert et en moins de dix minutes, nous étions assis à table en train de déguster attentivement et avec beaucoup de joie ce savoureux repas. Que j'étais fier de moi ce soir-là! Secrètement, je remerciai Dale Carnegie pour les précieux conseils renfermés dans son livre.

Imaginez maintenant ce qui se serait passé si, au lieu de suivre le judicieux conseil de Dale Carnegie, je me serais comporté comme la plupart du temps, nous les hommes, avons coutume de faire si souvent: se défouler sur sa femme dès qu'on rentre chez soi sur le soir, après une rude journée de travail. C'est bien ainsi qu'on agit la plupart du temps, nous, les êtres du «sexe fort». Que de joies et de bonheur auraient à jamais été enfouis dans les ténèbres du passé à cause de ma maladresse. Cet après-midi là ma femme n'avait eu qu'une seule idée en tête: me faire plaisir en me préparant les mets de mon choix. Tout l'après-midi, elle s'était tant évertuée à préparer ce repas compliqué qu'elle était littéralement morte de fatigue quand, vers les cinq heures, je regagnai le toit familial. Si, au lieu de la complimenter pour ce bon repas, je m'étais défoulé sur elle à cause de toute la tension que j'avais accumulée tout au long du jour, je me serais sans doute querellé avec elle pour le simple fait que le repas n'était pas prêt et je me serais ainsi privé inutilement du bonheur de savourer dans le calme, la joie et sérénité ce repas princier.

Ne pensez pas que je suis un expert dans l'art d'adresser des compliments à mon épouse à chaque fois qu'une petite occasion se présente. A l'instar des autres hommes, j'ai toujours cette tendance désastreuse de vouloir me défouler sur ma femme, sur ceux qui me sont chers, ceci, chaque fois que je rencontre des difficultés de la part des autres. Cependant, je ne me laisse pas pour autant aller au désespoir. Je réalise, à ma grande joie, qu'au fur et à mesure que les années passent, je m'améliore sans cesse dans ce domaine. Plus je vieillis, plus je constate qu'un petit compliment sincère adressé à ma femme, c'est le meilleur capital-bonheur que je puisse investir dans la banque du bonheur de notre union conjugale. Plus je vieillis, plus je me rends compte de la véracité de cette pensée: «A vingt ans, on affirme; à trente ans on doute; et à quarante ans, on commence enfin à s'apercevoir qu'on ne sait absolument rien!»

De nos jours, la plupart des hommes insistent pour revendiquer leurs droits dans tous les domaines. Cependant, combien d'hommes pensent à combler les besoins de leur femme en ce qui concerne le travail qu'elles font. Il est bien certain qu'un homme aussi a besoin de recevoir des compliments. Néanmoins, je constate de plus en plus que dans ce domaine, c'est à l'homme que revient en premier la tâche de donner l'exemple, de prendre l'initiative. L'homme travaille dur, c'est vrai, mais l'homme est avantagé sur sa femme en ce sens qu'il reçoit, lui, une juste compensation en échange de son travail: un salaire tangible. Pour l'homme, c'est bien plus le chèque de paye que les seuls compliments, si sincères pourraient-ils être, qui l'incite à continuer d'accomplir sa tâche. Mais il n'en n'est pas ainsi pour la femme. A part des compliments sincères de son mari, quel juste salaire la femme peut-elle s'attendre de recevoir en échange des innombrables besognes qu'elle accomplit au sein du foyer: faire la cuisine, préparer et laver les vêtements, s'occuper des enfants, répondre au téléphone, etc, etc...?

Faut-il donc être surpris si, de nos jours, tant de femmes soient en faveur d'une sorte de «libération» de la femme? J'ai parlé à des dizaines de femmes à propos de l'essence de cette présente leçon et jamais je n'ai rencontré une seule femme qui ait manifesté de désir de se détacher d'un foyer au sein duquel elle recevait ce dont elle était légitimement en droit de s'attendre: de la gratitude, du respect, de l'attention, de l'affection et... des compliments sincères. On dit souvent que l'homme a changé, évolué; mais est-ce vraiment exact? Autrefois, les hommes étaient durs envers leur femme, ils la considéraient souvent comme une esclave tout simplement, tout juste bonne à préparer les repas et à donner naissance aux enfants. Et aujourd'hui peut-on dire que les choses sont autrement? La plupart des hommes se montrent tout aussi maladroits que leurs ancêtres dans le domaine conjugal.

On se plaint beaucoup de pénuries de toutes sortes: pénurie d'essence, pénurie de matières premières, pénurie d'emploi, pénurie d'ouvriers qualifiés, etc. mais la pire pénurie de notre siècle réside de préférence au sein du foyer: pénurie d'encouragements, pénurie de compliments sincères, pénurie de dialogue, etc. L'homme donc qui cultive l'art précieux consistant à saisir chaque occasion qui se présente afin d'adresser des compliments sincères à sa femme, cet homme-là ne doit jamais craindre qu'un jour ou l'autre, il y ait une pénurie de bonheur au sein de son foyer.

Durant ma vie j'ai aussi remarqué qu'assez souvent, nous les parents, hommes ou femmes, nous avons la détestable habitude de décourager nos enfants plutôt que de les édifier et les inciter à s'améliorer; à toujours mieux faire, à sans cesse progresser vers la maturité. Qu'un enfant commette une erreur, que cette erreur soit consciente ou inconsciente, et instantanément, notre première réaction est de nous mettre en colère contre notre enfant. Aussi, la plupart du temps, nous ne nous gênons pas pour lui crier jusqu'à quel point il est maladroit, nerveux, ignorant, paresseux, vicieux, et combien d'autres défauts ne lui trouvons-nous pas! Par contre, combien de fois prenons-nous le temps de nous asseoir à côté de lui, afin d'examiner le bon travail qu'il a accompli et le complimenter sincèrement sur sa bonne attitude? A quand remonte le dernier encouragement promulgué à notre enfant, à nos enfants; à ceux qui nous ressemblent pas mal au fond?

Les enfants, encore plus que les adultes, ont sans cesse besoin de nos encouragements. Et sans nos compliments sincères, nos enfants ne peuvent savoir et déterminer si ce qu'ils font est bon ou mal, bien ou mauvais; et s'il vaut vraiment la peine de continuer de faire le bien dans la vie. Heureux sont les parents qui, aujourd'hui, prennent le temps d'encourager et de complimenter leurs enfants à chaque fois que les occasions se présentent.

Ces parents, sans même en être conscients, sèment tout au long du jour de toutes petites graines de joie dans le coeur de leurs enfants; des graines qui, un jour ou l'autre, produiront d'excellents fruits, porteurs de bonheur, et qui rejailliront infailliblement sur la tête de ceux de qui ils émanent, soit les parents qui se montrent encourageants et édifiants envers leur progéniture.

Dans cette leçon, j'ai mis l'accent sur deux aspects en particulier de la loi de la récolte et de la semence: les encouragements et les compliments. Et ces deux aspects, qui sont étroitements liés, je les ai plutôt situés dans le cadre du foyer. La raison en est que je considère que le foyer est l'endroit par excellence où nous sommes le plus aptes, et où il nous est relativement aisé de semer de la joie par des encouragements et des compliments sincères. En effet, étant très intimes avec les membres de notre famille, nous sommes sans cesse avec eux: de ce fait, ce ne sont donc pas les occasions de les encourager et de les complimenter qui nous manquent. Etant très intimes avec les membres de notre famille: notre femme, notre mari, nos enfants, nos parents, j'ai aussi remarqué que, pour notre plus grand malheur, nous avons tous la tendance désastreuse, justement à cause de cette intimité qui existe entre les membres d'une même famille, de nous insulter, nous rudoyer, nous injurier, soit de nous montrer rudes les uns envers les autres.

Pourtant, à part le foyer, aucun autre endroit au monde ne peut être plus propice pour semer de la joie, et aussi pour récolter du bonheur tout au long de notre vie. Nous venons au monde au sein d'un foyer, nous grandissons et nous nous formons dans un foyer. Et un beau jour, nous érigeons un foyer à notre tour. Donc, étant donné que durant toute notre existence, nous évoluons constamment dans la cellule familiale, c'est donc là, dans notre foyer, que nous devons semer avec grand soin les innombrables petites graines de joie dont nous nous régalerons, tout au long de notre vie, en splendides fruits de bonheur sous quelque forme que ce soit. Et quand tout va bien dans notre foyer, tout va bien partout. L'épouse qui reçoit un compliment sincère de la part de son mari est heureuse, et tout autour d'elle, elle sème de la joie de vivre et du bonheur. L'enfant qui reçoit des encouragements et des compliments édifiants et sincères de la part de ses parents, cet enfant n'a pas envie de se défouler ailleurs en donnant un coup de pied au petit chien du voisin à la moindre occasion, ni non plus envie de s'adonner à la drogue, à l'immoralité sexuelle, ou au vol à l'étalage avec des copains. C'est donc au foyer que la vie commence et c'est aussi au foyer que la pratique de la vie se vit. Et qui apprend à bien vivre dans son foyer, parmi ses intimes, cet être ne manque pas de se montrer une grande source d'encouragements pour tous ses semblables. Oui, cet être-là ne manque pas de contribuer au rehaussement moral, fraternel, affectif, intellectuel et spirituel de toute la communauté des humains.

«Comme des pommes d'or dans des ciselures d'argent, telle est une parole dite en son temps»; voilà en quels termes s'est exprimé le sage roi Salomon afin de définir toute l'importance que revêtent les encouragements et les compliments sincères prodigués tout au cours des précieux et délicats rapports avec nos semblables. Quiconque a compris et bien saisi le sens de cette importante leçon n'a pas à appréhender l'avenir en craignant qu'une pénurie de bonheur ne vienne un jour s'abattre, ou se déferler sur lui.

11

Donnez de votre flamme et il fera plus chaud

De nos jours, on entend beaucoup de critiques, fondées ou non, à propos de tout et de rien. Tout le monde, ou presque, est frustré à propos des erreurs ou défauts des autres, des injustices de toutes sortes qui se commettent à tous les échelons de la société. Presque tout le monde semble donc d'accord au moins sur un point en particulier: il faudrait rénover l'humanité.

On dit que seul celui qui s'est amélioré lui-même a le droit d'exiger des autres qu'ils changent. Oui, la transformation du monde commence d'abord par l'amélioration de soi ou alors ne commence jamais. On dit aussi que quiconque veut changer et améliorer le monde doit d'abord commencer par faire un petit jardin dans sa cour. En effet, nous nous soucions beaucoup plus de ce que les «autres» devraient faire pour nous venir en aide que ce que nous, nous devrions faire pour les aider.

Dans notre monde, ce ne sont pas les penseurs qui manquent, ils sont légions. Mais ce qui fait le plus défaut, ce qui manque vraiment à notre humanité, ce sont de vrais hommes et de vraies femmes qui se lèvent debout pour dire: «JE VAIS FAIRE QUELQUE CHOSE!» On entend souvent dire que «Quelqu'un devrait faire quelque chose!», mais rarement entend-on quelqu'un dire: «JE VAIS FAIRE QUELQUE CHOSE!» Le monde ne veut pas savoir ce que nous avons l'intention de faire; mais il nous juge impassiblement d'après ce que nous sommes présentement en train de faire, soit d'après les actes que nous posons, les oeuvres que nous faisons et qui nous suivent. Il semble toujours être très facile de rénover le monde; mais ce qui est bien plus important, et toujours beaucoup plus difficile, c'est d'AGIR SOI-MEME. Le plus difficile, ce n'est pas de se réchauffer auprès du feu, c'est d'augmenter le foyer de chaleur en donnant constamment de sa flamme, de sa chaleur humaine; en se dépensant pour qu'il fasse enfin plus chaud dans le monde.

Avez-vous déjà entendu parler de l'histoire de ce vieux monsieur trempé jusqu'aux os qui s'était perdu en pleine forêt? Après avoir tourné en rond durant plus de trois jours et quatre nuits, le pauvre homme découvre enfin une vieille cabane de chasseur. Tout heureux, l'homme entre dans la cabane, s'installe avec précipitaion devant le poêle situé au beau milieu de la pièce unique, et il attend. Il attend ainsi sans bouger durant plus de trois heures. Et au bout de ce temps, toujours trempé et gagné par le froid intense, il ouvre la bouche pour dire au poêle...: «Je t'avertis, si tu ne me donnes pas de chaleur, tu n'auras pas de bois!» Le lendemain, des chasseurs, de passage dans la région, trouvent le vieil homme mort de froid, assis devant un poêle froid et vide, sans bois.

C'est un peu de cette façon que les choses se passent de nos jours. On insiste pour que tout le monde nous aime, que tous nos proches nous respectent, se montrent soumis et prévenants envers nous. On insiste pour que les autres nous fassent vivre et soient attentifs envers nos besoins légitimes. Et quand les autres ne font pas attention à nous, se montrent indifférents et impassibles envers nous, et insensibles à nos besoins, nous crions au déshonneur et ne manquons de faire valoir nos griefs. Mais dans tout cela, malgré tous nos griefs, légitimes ou non fondés, que nous formulons envers nos semblables, NOUS, oui NOUS, comment traitons-nous les autres?

Dans nos rapports avec les autres, il importe beaucoup, si nous tenons à être heureux et toujours être traités dignement, que nous aussi, nous traitions nos semblables avec respect et dignité. Dans tous les cas, il ne faut jamais dépasser les limites; nous ingérer dans la vie intime ou privée d'autrui. Il ne faut jamais, sous peine de le payer fort cher, usurper les droits légitimes des gens que nous côtoyons à chaque instant de notre vie. Il faut toujours garder bien présent à l'esprit que les autres, ce qui comprend notre conjoint, nos enfants et aussi nos parents, ont des goûts et des besoins qui leur sont bien particuliers, des aspirations profondes qui leur sont personnelles et aussi nourrissent des ambitions qui leur sont propres. Il importe de toujours garder bien gravé à l'esprit que chacun en ce monde a le droit de faire valoir ses besoins et revendiquer ses droits légitimes, que chacun a le droit de satisfaire et combler ses besoins fondamentaux; même si pour y parvenir, il est nécessaire que nous, nous changions notre programme ou nos projets.

On remarque souvent que bien des gens se plaignent de la malhonnêteté d'autrui. Ces gens-là passent tout leur temps à crier à tue-tête qu'aujourd'hui, on ne peut plus se fier à personne, même pas à son conjoint. Certes, les conditions morales tendent à se dégrader de plus en plus de nos jours. Cependant, si l'honnêteté est vieille comme le monde, la malhonnêteté n'est pas récente, elle non plus. Qui passe tout son temps à se méfier des autres en vient vite à se défier de soi-même. Et qui se défie de soi-même se retrouve très vite malheureux parmi ses semblables. Pourtant, avoir confiance en autrui, tout comme respecter les droits légitimes de ses semblables, voilà ce que signifie le fait de donner de sa flamme dans le foyer universel de l'humanité.

Il est encore d'autres personnes, et elles sont très nombreuses celles-là, qui se plaignent à propos de leur solitude; qui se disent malheureuses du fait de n'avoir personne, aucun véritable ami avec qui elles peuvent converser amicalement, s'entretenir, confier leurs peines et leurs regrets. Mais là aussi, dans le domaine des communications humaines comme partout ailleurs, donner de sa flamme signifie qu'il importe, qu'il est essentiel même, pour que les autres viennent nous voir, nous parler, que nous fassions d'abord les premiers pas en se montrant attirant. Se lamenter parce qu'on s'ennuie, parce que personne ne vient nous dire un «bon mot» de temps en temps, ne vienne converser avec nous, c'est comme de dire à un poêle: «Donne-moi de la chaleur et ensuite, je te donnerai du bois!»

J'ai souvent remarqué que de nombreux parents, des maris et pères surtout, se prétendaient toujours bien trop «occupés» pour dialoguer avec les leurs, leur épouse et enfants. Mais en revoyant ces mêmes individus beaucoup plus tard, j'observais qu'ils étaient très souvent seuls, délaissés des leurs, souvent abandonnés et toujours malheureux. L'homme, le mari et père qui veut s'assurer une abondante récolte de chaleur auprès de laquelle il sera toujours en mesure de se réchauffer tout au long de ses «vieux jours», cet homme-là doit, dès AUJOURD'HUI, donner de sa flamme aux siens en se dépensant lui-même. Et ce qui est valable pour le mari et père l'est aussi pour l'épouse et mère, l'enfant ou l'adolescent, le médecin ou le cordonnier, et même pour le juge, le premier ministre. Prendre le temps de converser avec les autres, les écouter, se montrer sensible à leurs besoins et respecter leurs droits légitimes, voilà en somme ce que signifie «donner de sa flamme».

On donne de sa flamme en se montrant amical avec ses semblables. Il y a des gens dont le visage est sans cesse tendu, crispé. Comment, avec un tel visage du mois des morts, peut-il être possible à une personne d'attirer les gens autour d'elle? Le fondateur du vrai christianisme a dit que l'oeil était l'exacte lumière de l'intérieur, du coeur. Comment, en affichant constamment un visage qui veut dire «Sauve-toi de moi au plus vite», une personne peut-elle attirer les autres vers soi? Dépendant du visage que nous affichons, les gens nous fuient ou, au contraire, ils se sentent attirés vers nous, ils s'approchent de nous avec assurance et confiance. Ce n'est pas le fait d'avoir un beau visage qui attire nos semblables, mais plutôt le fait de montrer un visage amical, détendu, souriant; de montrer un visage joyeux qui laisse présager un coeur profondément heureux. Un visage qui semble dire aux gens: «Oui, venez à moi et vous aussi, vous serez réchauffés par ma joie de vivre et mon bonheur intense!»; voilà le genre de visage qui attire les gens. Voilà ce qui signifie «Donner de sa flamme». Si personne ne peut être tenu responsable du visage qu'il a, il l'est, par contre, de celui qu'il fait!

A chaque fois que nous disons un bon mot à quelqu'un, que nous avons un mot d'encouragement à son égard; chaque fois que nous adressons un compliment sincère à une personne qui le mérite vraiment; chaque fois que nous faisons un tout petit détour afin de rendre service à quelqu'un, afin de l'aider de porter sa charge devenue un fardeau trop lourd; chaque fois que nous prenons le temps d'aller dire à notre voisin jusqu'à quel point nous apprécions sa présence à nos côtés; chaque fois que nous prenons le temps de jouer avec notre petite fille; chaque fois que nous caressons le petit chien du voisin d'en face; oui, à chaque fois que nous agissons ainsi, nous donnons de notre flamme. Et à chaque fois que nous prenons l'initiative de déposer du combustible dans cette vaste fournaise qu'est l'humanité, nous devons nous attendre, avec certitude et confiance, qu'il fera certainement un peu plus chaud dans le monde; ceci, à cause de NOUS, de notre initiative.

La rénovation de tout le monde qui nous entoure, de l'humanité même, débute d'abord par nous ou alors, elle ne commence jamais. L'amour, la bonté, la bienveillance, l'esprit de fraternité humaine commence d'abord par nous ou alors ne commence jamais. Après Dieu, soit l'obligation que nous avons de vivre en paix avec l'Auteur de notre vie, notre obligation seconde consiste à améliorer le monde, le rendre meilleur. Et tout ceci n'est rendu possible qu'à la condition que nous aussi, nous devenions meilleur. Vous voulez qu'il fasse plus chaud dans votre foyer, que vos voisins soient plus chaleureux, que tout le monde vous aime, se montre bon et prévenant, et attentif à vos besoins tout en respectant vos droits? Est-ce là l'objet de vos requêtes de tous les instants? Alors «Donnez constamment de votre flamme et il fera sans cesse plus chaud!»

12

Que votre «oui»
soit toujours «oui»

Qui n'a plus de réputation n'est plus qu'un mort parmi les vivants. En parlant à de nombreuses personnes, je me suis souvent rendu compte que ce qui les rendait malheureuses, dans les rapports qu'elles entretenaient avec leurs semblables, c'était le peu de confiance qu'on leur faisait. Tel père dira à son fils qu'il n'a plus confiance en lui; et ainsi, le fils se retrouvera malheureux du fait que son père ne lui fait plus assez confiance pour lui prêter la voiture. Tel mari se plaindra du fait que sa femme n'a plus confiance en lui, et il en sera malheureux. Tel autre encore, devenu chômeur pour une raison quelconque, sera profondément malheureux de constater que des employeurs ne lui font pas assez confiance pour lui confier un certain travail. D'autres encore, seront malheureux du fait que des gérants de banque ne leur font pas assez confiance pour leur prêter la somme d'argent nécessaire qui leur permettrait de se lancer en affaires, de s'acheter la maison de leurs rêves, ou d'autre chose qui leur tient à coeur. Ainsi, le manque de confiance peut encore rendre de nombreuses autres personnes malheureuses. Ce problème peut aussi bien frapper l'épouse, la fille, le vendeur, le politicien, et même le professionnel à son compte qui, à cause du manque de confiance qu'on lui porte, est en train de perdre sa clientèle.

Il faut garder présent à l'esprit que la confiance, tout comme l'amour, la bonté, la patience, l'indulgence et la maîtrise de soi, est un facteur essentiel dont il faut absolument tenir compte dans nos rapports avec nos semblables. C'est la confiance réciproque que se vouent deux jeunes amoureux qui leur permettra finalement d'accepter de s'unir et de fonder ensemble une nouvelle cellule conjugale et familiale. C'est la confiance que lui porte son épouse qui permettra à un mari de s'estimer et s'évaluer à sa juste valeur, de s'affirmer et finalement, de faire en sorte que le voyant aussi confiant et sûr de lui, les autres ne pourront faire autrement que d'avoir aussi confiance en un tel homme. C'est la confiance qu'a un mari envers sa femme qui lui permettra de quitter la maison le matin tout en ayant l'esprit tranquille et en ayant la certitude que tout au long du jour, son épouse s'occupera avec loyauté des intérêts communs de toute la famille. C'est aussi grâce à la confiance que témoignent des parents à l'égard de leurs enfants que ces derniers peuvent mûrir, s'émanciper au point de devenir, au fur et à mesure qu'ils grandissent, des adultes sûrs d'eux-mêmes, dignes de confiance et heureux. Et c'est aussi dépendant du degré de confiance que nous font les autres que se situe souvent la délicate ligne de démarcation entre l'échec et le succès dans nos entreprises.

La confiance que les autres nous font ne s'impose jamais. La confiance, tout comme le salaire, se mérite. La confiance et le jour de la naissance n'ont aucun rapport entre eux. Au jour de notre naissance, tout le monde nous trouvait beau, tout le monde aimait nous taquiner, mais personne ne nous faisait confiance. Notre mère nous faisait si peu confiance qu'elle nous attachait solidement dans notre chaise haute pour nous faire manger et jamais elle ne nous quittait des yeux tellement elle avait si peu confiance en nous. Et durant notre enfance, notre mère encore avait si peu confiance en nous qu'elle prenait le soin d'écrire sur un petit bout de papier les diverses choses qu'elle nous demandait d'aller lui chercher à l'épicerie du coin. Et lorsque nous avons enfin quitté les bancs de l'école, alors qu'on se croyait vraiment mûr à cette époque-là, nos premiers employeurs se fiaient si peu à nous qu'ils exigeaient que nous leur présentions les diplômes ou certificats attestant bel et bien les belles notes que nous prétendions avoir.

Mais petit à petit, sans trop nous en rendre compte, la confiance des autres à notre égard s'est de plus en plus affirmée. Elle s'est structurée à un point tel qu'un beau jour, on est allé chercher notre courrier dans la boîte aux lettres et qu'est-ce qu'on a aperçu? Des belles cartes de crédit toutes neuves provenant de ces mêmes banques qui, il y a à peine quelques années nous refusaient le moindre crédit. De ces mêmes banques qui, en refusant de nous faire confiance, nous ont forcés à aller nous faire égorger par les compagnies de finance.

Mais comment est-il possible que les choses en soient arrivées là? Comment se fait-il que les banques et les gens nous font beaucoup plus confiance maintenant? Ce qui s'est passé, et ce que nous n'avons peut-être pas discerné, c'est que petit à petit, au fur et à mesure que nous expédiions scrupuleusement nos chèques à la compagnie de finance, chèques eux-mêmes religieusement escomptés par notre banque, notre solvabilité était en train de se constituer solidement. Petit à petit, à chaque jour, un nouveau maillon prenait forme et la chaîne de la confiance des autres à notre égard s'allongeait de plus en plus, prenait de l'extension.

On entend souvent dire qu'il n'y a personne qui ne puisse mériter si peu notre confiance qu'un politicien, un arracheur de dents ou un homme qui est amoureux. Cependant, après avoir longuement observé les gens, je suis de plus en plus convaincu que la liste noire du cercle des menteurs s'étend de beaucoup au-delà de ces seules trois catégories d'individus.

Avez-vous déjà pensé qu'à chaque fois qu'une personne n'est pas à l'heure à un rendez-vous, elle ment et qu'ainsi, elle affaiblit d'autant la somme de confiance que les autres peuvent lui témoigner? Avez-vous déjà pensé qu'à chaque fois qu'un débiteur «oublie» d'acquitter un paiement bien qu'il ait signé des arrangements spécifiques à ce sujet, ce débiteur incite inutilement les gens à douter de lui et qu'ainsi, la force de confiance s'affaiblit d'autant à son égard? Avez-vous déjà pensé qu'à chaque fois qu'un mari et père promet une chose aux membres de sa famille, et qu'il ne respecte plus la promesse faite, que ce mari et père ment et qu'ainsi, il affaiblit d'autant la force de confiance que lui témoignaient les siens? Et vous jeunes gens, avez-vous déjà pensé qu'à chaque fois que vous désobéissez à vos parents; que vous ne rentrez pas à l'heure convenue, vous mentez et qu'ainsi, vous affaiblissez d'autant la force de confiance que vous témoignaient vos parents? Voilà l'essence de cette leçon du bonheur: malheur à nous quand la confiance qu'on nous faisait, qu'on plaçait en nous commence à s'effriter!

Il faut le concours de toute une vie de durs labeurs, de loyauté indéfectible et d'une bonne conduite de tous les instants pour se mériter le respect et la confiance de nos semblables. Mais, et voilà où se situe la tragédie, il ne faut que l'étourderie d'un instant pour que toute cette confiance érigée ne s'écroule et s'envole en fumée. Combien de fois voit-on des individus qui, tentant de refaire leur vie, sont maintenant découragés et malheureux de constater jusqu'à quel point ils ont perdu la confiance de leurs semblables! On voit souvent des personnes payer chèrement, en manque de confiance de la part d'autrui, la folie d'un instant.

Toutes les relations humaines sont bâties autour de la confiance. On choisit de se marier parce qu'on a confiance à la parole donnée mutuellement par deux êtres qui sont amoureux l'un de l'autre; confiance envers les possibilités de s'aimer, de s'entendre et se montrer loyal l'un envers l'autre. On transmet la vie à un enfant parce qu'on a confiance aux possibilités futures du petit être qui n'est même pas encore né. On se promène tard le soir au clair de lune parce qu'on a confiance en ses concitoyens; confiance que personne ne nous attaquera ou nous fera du mal. On emprunte de l'argent pour s'acheter une automobile, une maison, ou pour se lancer en affaires parce qu'on a confiance en soi, en ses capacités de rembourser un emprunt; confiance en l'avenir, en son emploi. Et de son côté, le prêteur nous consent un prêt parce qu'il a confiance en nous, en notre parole, en notre avenir. On achète une boîte de conserves d'une marque donnée plutôt qu'une autre parce qu'on se fie à la qualité du produit qui se trouve à l'intérieur; confiance qu'il ne s'agit pas d'un poison mortel mais plutôt d'un aliment propre à la consommation. On accepte que notre employeur nous paie un salaire par chèque parce qu'on a confiance que son chèque sera encaissable par la banque et qu'en échange, nous recevrons les billets qui nous permettront de nous procurer les nécessités de la vie sans avoir le besoin, sans être dans l'obligation de recourir au troc.

Tout, absolument tout dans notre monde est basé sur la confiance. Même les innombrables possibilités de bonheur, présentes ou futures, sont fondées sur la confiance qu'on porte en l'auteur de notre vie, et celle qu'on fait à nos semblables. Faire mourir cette confiance, éteindre la flamme de confiance que nous témoignent nos semblables, c'est s'exposer à mourir à petit feu; s'éteindre impassiblement dans la déchéance, le désespoir et le malheur. Et une fois la confiance perdue, éteinte, morte, il ne reste plus que deux seules choses à faire: s'armer de patience, beaucoup de patience, et espérer que les années pourront cicatriser les folies d'un moment; ou, si la patience fait défaut, il faut vite aller se creuser un trou dans le cimetière et espérer que la mort vienne nous soustraire le plus rapidement possible du monde des vivants. Car qui n'a plus la confiance de ses semblables n'est plus qu'un mort parmi les vivants.

13

Comment réagir devant l'ingratitude des gens

Dans cette seconde partie de notre étude sur le bonheur, nous avons vu toute l'importance qu'il y a à faire plus ample connaissance avec nos semblables; nous avons vu comment il peut être important, afin de profiter le plus possible de toutes ces occasions de bonheur qui se trouvent ici et là sur la route de notre vie, de rendre service aux autres, de les encourager, de les complimenter sincèrement, en somme, de semer tout au long du jour des petites graines de joie dans le coeur des autres. En fin de compte, nous avons vu que pour être vraiment heureux en ce monde, après nos relations avec notre Créateur, c'est d'apprendre à bien vivre avec nos semblables. Semer, tout au long de notre vie, des graines de joie, d'amour et de paix dans le coeur de nos semblables, voilà qui nous assurera toujours d'abondantes récoltes de bonheur.

Cependant, bien que nous soyons tous de bonne volonté et que nous soyons tous désireux de bien agir dans nos rapports avec notre prochain, et que nous fassions tout notre possible afin de lui plaire, le rendre heureux et l'aider le plus possible, que ce soit en lui prodiguant des encouragements ou en lui adressant des compliments sincères, nous sommes néanmoins obligés de tenir compte d'un important facteur qui s'impose constamment dans les bonnes relations que nous désirons entretenir avec les autres: l'imperfection, car nous sommes tous IMPARFAITS. Et quand j'écris «imparfait», ce mot s'applique à moi, à vous, à notre conjoint, à nos enfants, à nos parents, à nos voisins, à nos amis, soit à TOUT être humain qui vit sur cette terre. Refuser de tenir compte de ce facteur important qui s'impose sans cesse dans le délicat processus des relations humaines -soit que TOUS les êtres humains qui habitent cette planète ont au moins cette chose bien en commun: ils sont TOUS IMPARFAITS- c'est s'exposer inutilement à vivre dans la déception continuelle, le découragement et le malheur.

Il est bien certain que mon conjoint est imparfait. Mais si mon conjoint était parfait, m'aurait-elle épousé? Et si moi, je ne puis être heureux avec le conjoint que je me suis volontairement choisi, parce que je le considère comme étant trop imparfait, alors, pourquoi l'ai-je épousé? Au fond, si mon conjoint est aussi imparfait que je le prétends, cela ne laisse-t-il pas présumer un certain manque de jugement de ma part? Et si je me lamente sans cesse parce que mes enfants sont imparfaits, cela ne laisse-t-il pas présumer jusqu'à quel point, moi, leur père, je dois être imparfait? Et si je critique sans cesse mon employeur parce que je le juge imparfait et indigne de ma loyauté, alors moi, qui me considère comme étant meilleur que lui, qu'est-ce que je fais dans son entreprise? Si mon employeur est imparfait au point que je le critique à longueur de journée, comment se fait-il que j'insiste tant pour continuer de collaborer avec lui? Et si moi, je considère que les hommes sont trop imparfaits pour que je les fréquente, que je collabore avec eux, alors moi, qu'est-ce que je fais pour les aider à s'améliorer?

Certes, les occasions permettant de constater combien notre entourage est imparfait ne manquent pas. Cependant, quand nous prenons le temps de bien scruter l'aspect de notre visage dans un miroir et que nous procédons à cet examen de façon minutieuse et honnête, que constatons-nous? Que nous aussi, oui, nous personnellement, dans le domaine de la perfection, nous ne dépassons absolument pas nos semblables d'un millimètre. Oui, quand nous prenons le temps, et aussi le soin de bien nous examiner à fond, nous n'avons alors plus guère l'intention ni le désir d'insister trop sur les imperfections d'autrui. A chaque fois que je vois une autre personne commettre une bêtise, j'ai souvent envie de lui faire sentir jusqu'à quel point elle peut être maladroite, imparfaite. Néanmoins, je me retiens vite quand je pense aux nombreuses bêtises et maladresses que je commets moi-même à longueur de journée. Il y a toute une marge entre l'imperfection humaine et la méchanceté, la bassesse; de ceci, il nous faut sans cesse en tenir compte dans nos relations avec autrui.

Dans le domaine des relations humaines, afin d'être en mesure de toujours puiser ce qu'il y a de positif, d'enrichissant et de constructif, nous devons nous comporter comme un gérant de banque et à la fois comme un petit épargnant qui dépose ses économies à la banque afin d'en retirer des intérêts. Qu'est-ce qui fait la force d'une banque? Qu'est-ce qui fait qu'une banque soit toujours en service? Qu'est-ce qui fait que, malgré le fait qu'il y ait des mauvaises créances bancaires, et elles sont multiples, nous soyons toujours aussi désireux de déposer nos économies à la banque afin d'en retirer des intérêts?

La force d'une institution bancaire, ses opérations continues, et la confiance que nous avons envers une banque sont basées sur deux transactions bien simples: d'une part, prêter constamment de l'argent à ceux qui en ont besoin et recevoir de ceux-ci des intérêts sur la somme empruntée; et d'autre part, partager avec le petit épargnant une partie des intérêts reçus dans le but d'attirer un nombre sans cesse croissant de nouveaux épargnants et par conséquent, augmenter sans cesse la masse globale d'argent à prêter. La roue consistant à vouloir augmenter constamment l'actif d'une banque afin d'être en mesure de prêter le plus d'argent possible, réaliser plus de profits, et ensuite, en partager une partie importante avec les épargnants pour les stimuler à économiser davantage, c'est cette roue-là qui, finalement anime, donne de la vie à toutes les transactions commerciales et financières qui s'effectuent sur la terre. Et qu'est-ce qui permet à cette roue de tourner sans cesse, sans jamais s'arrêter? C'est la confiance. La confiance dont fait montre le gérant de banque envers sa clientèle qui sollicite sans cesse des emprunts; et aussi la confiance que peut avoir le petit épargnant envers la banque où il dépose ses précieuses économies.

Le gérant de banque, malgré le fait qu'un pourcentage de ses clients emprunteurs s'avère n'être pas trop sérieux, n'en continue pas moins de prêter de l'argent à un nombre sans cesse croissant de nouveaux emprunteurs parce qu'il juge comme étant digne de confiance la majorité de ceux qui empruntent et croit aussi à leur solvabilité. Il en est de même de l'épargnant qui dépose ses économies en banque. L'épargnant est tranquille parce qu'il a l'assurance, bien qu'il sache bel et bien que certains emprunteurs sont des débiteurs peu sérieux, que l'actif de la banque est largement suffisant; et advenant le cas où besoin se ferait sentir de retirer ses économies de la banque afin de remédier à un imprévu, il a cette assurance de récupérer son argent. Bien plus, le petit épargnant est assuré que quoi qu'il arrive, la banque lui paiera toujours les intérêts rapportés par ses économies.

On peut facilement imaginer ce qu'il adviendrait des transactions financières et commerciales dans notre monde si, un beau jour, tous les gérants de banque, se décourageant parce qu'une minorité d'emprunteurs se sont révélés des débiteurs peu sérieux, décidaient de cesser de prêter de l'argent à qui que ce soit. En moins de quelques heures, tout notre système économique s'effondrerait. Il en serait de même si, suite au fait qu'une minorité d'emprunteurs s'avèrent être de mauvais débiteurs, les petits épargnants, prenant panique et se décourageant, décidaient subitement de ne plus déposer leurs économies à la banque. Encore là, tout notre système économique s'effondrerait en l'espace de quelques heures. Et dû à l'inflation, les petits épargnants verraient très vite leurs épargnes fondre comme la neige au soleil vu qu'ils ne recevraient plus d'intérêts, ce qui assure constamment une valeur régulière à l'argent malgré l'inflation.

Dans le domaine des relations humaines, comme mentionné précédemment, nous devons nous comporter à la fois comme le gérant de banque et le petit épargnant. A chaque fois que nous faisons le bien, que nous rendons service à quelqu'un, que nous encourageons celui-ci, adressons des compliments à celle-là, c'est comme si, à l'instar du gérant de banque, nous prêtions une partie de nous-mêmes, une partie de l'actif de notre personnalité à la très vaste clientèle que constitue l'humanité. Et comme le gérant de banque, nous ne devons jamais cesser de prêter, ou donner de nous-mêmes parce que certains débiteurs s'avèrent être peu sérieux, injustes, ingrats, égoïstes ou méchants. Et comme le gérant de banque, nous ne devons jamais cesser de nous dire que, bien que certains êtres se soient montrés franchement ingrats, soit de mauvais débiteurs, il existe néanmoins, hormis ceux-ci, une humanité majoritaire à qui nous pouvons encore faire confiance.

Il ne faut pas agir comme cet homme qui, après avoir subi quelques déceptions parce que certaines personnes se seraient montrées ingrates, égoïstes, injustes ou même méchantes à son égard, décida un beau jour de couper tout lien de communication avec ses semblables. Cet homme s'isola et, dû à son manque de confiance en ses semblables, il jugea bon d'aviser tous ses proches que désormais, il ne fallait plus compter sur lui d'aucune façon. Agir ainsi, c'est ruiner irrémédiablement le système fraternel universel. Donc, comme le gérant de banque, qui prête sans cesse toujours plus d'argent à un nombre sans cesse grandissant de nouveaux clients, et ceci, même si parfois certains emprunteurs se sont révélés de mauvais débiteurs, il ne faut jamais, nous non plus, nous lasser de faire le bien envers autrui. Il ne faut jamais nous lasser, bien que certaines personnes se soient montrées franchement ingrates, égoïstes ou même méchantes envers nous, de rendre service à notre prochain, de lui témoigner de la compassion, lui donner de notre attention, de notre affection et de notre temps, car, et ceci, nous ne devons jamais le perdre de vue, il y a toujours la loi universelle de la compensation qui veille constamment sur le monde des relations humaines. Que ce soit aujourd'hui, demain, dans un an ou même dans dix ans, le moindre petit service rendu à notre prochain immédiat, aujourd'hui, nous revient toujours sous une forme ou une autre, un jour ou l'autre. Oui, il nous revient, sans non plus oublier les intérêts. Oui, il nous revient toujours, même si ce prochain immédiat se serait montré ingrat ou déloyal envers nous.

Nous devons aussi nous comporter comme le petit épargnant qui, bien qu'il sache que certains débiteurs soient de mauvaise foi, n'en continue pas moins de déposer ses précieuses économies à la banque en ayant la pleine confiance que le jour où il en aura besoin, la banque se montrera toujours disposée à lui rembourser l'argent placé en banque, sans non plus omettre les précieux intérêts. Le petit épargnant place une confiance illimitée en la banque parce qu'il sait pertinemment que la banque est dotée d'un fort actif, un actif imposant; actif garantissant que ses économies, et aussi les intérêts rapportés, lui seront remboursés dès qu'il en manifestera le désir.

Chacun de nous, qui qu'il soit, a réussi à développer depuis les premiers jours de son existence, une somme de qualités qui ont finalement constitué cette personnalité qu'il possède aujourd'hui. Et cette personnalité acquise constitue une partie des «économies humaines» que nous avons en main. Maintenant que nous sommes devenus adultes, nous avons pu nous doter d'une telle somme d'expérience de la vie, que celle-ci dépasse largement nos besoins quotidiens. Garder pour nous toute cette somme d'expériences acquises, en nous isolant de nos semblables parce que se disant qu'ils sont trop ingrats, égoïstes, injustes, imparfaits ou méchants, c'est agir comme le petit épargnant qui, craignant de perdre ses économies, les cache précieusement chez lui, dans un bas de laine. A cause de l'inflation, cet épargnant verra très vite son capital décroître année après année à un point tel que ses économies d'aujourd'hui ne vaudront plus que cinquante pour cent dans cinq ans, et moins de zéro pour cent dans dix ans. L'être qui, maudissant l'ingratitude, l'imperfection et l'égoïsme de ses semblables, garde égoïstement pour lui son expérience de la vie acquise plutôt que de la déposer dans la banque universelle de l'humanité, cet être ne tardera pas à s'étioler, à s'affaiblir au point de devenir insupportable et tout à fait vidé de lui-même.

Nous devons sans cesse déposer cette portion acquise d'expériences humaines, qui constitue maintenant nos économies personnelles, dans la banque de l'humanité. Comme il ne nous est pas possible de faire profiter tous les habitants de Russie, de la Chine ou de l'Afrique de notre expérience de vie acquise, nous pouvons cependant en faire bénificier toute l'humanité par le moindre acte de bonté et d'égard que nous témoignons à notre prochain immédiat. Et si parfois ce prochain immédiat se montrait quelque peu injuste ou ingrat à notre égard, nous pouvons sans cesse continuer à l'aimer et lui rendre service en gardant à l'esprit que l'actif d'amour humain, de gratitude humaine, est tel qu'on peut avoir pleinement confiance qu'un jour ou l'autre, soit quand le besoin se fera sentir, notre dépôt nous sera rendu au centuple, et en plus, avec de précieux intérêts. Et à ce moment-là, la main qui viendra à notre secours importera peu. C'est l'aide que nous recevrons qui nous comblera de joie et nous rendra pleinement heureux.

Comme il en est du sol qui donne toujours de son fruit, année après année, et qui ne cesse de nous nourrir malgré le fait que de nombreux hommes cupides tentent constamment de l'affaiblir, le détruire, en se montrant égoïstes et ingrats, nous devons toujours avoir pleine confiance que, bien que des individus se montrent parfois égoïstes et ingrats à notre envers, l'actif de l'humanité en général est tel que nos actes de bonté envers autrui nous seront toujours rendus, y compris les intérêts, au fur et à mesure que nous en aurons besoin. Car au-dessus des hommes qui se montrent parfois ingrats, cupides et méchants, quelqu'un veille. Et ce quelqu'un, c'est Celui qui, un jour, a dit à son principal assistant: «Faisons l'homme à NOTRE image et à NOTRE ressemblance!» Alors faut-il craindre qu'un jour, l'actif Amour, Justice, Sagesse, Puissance et Gratitude vienne à s'éteindre? Que jamais pareille pensée ne nous vienne à l'esprit!

Troisième partie

LE BONHEUR ET LA FAMILLE

14

Jouez pleinement votre rôle au sein de votre famille

Dans le domaine des relations humaines en général, il est un secteur en particulier qui nous concerne principalement, celui de la vie de famille. Comme on l'a déjà accentué tout au long des lignes de la dixième leçon, la vie de famille et le bonheur ont de nombreux points communs quand on considère que de la naissance à la vieillesse, chaque être humain évolue au sein d'une famille, à quelques exceptions près.

La famille est la cellule de base de la société. Cette cellule est tellement importante qu'on a pu vérifier que dans certaines parties du monde où des fléaux tels que la criminalité, l'infidélité conjugale, la délinquance juvénile, le vandalisme et les abus de drogue sont plus accentués par rapport à d'autres, la cause principale incombait à la dégradation de la vie de famille. Des chercheurs ont même découvert que certaines nations très puissantes du passé ne devaient leur écroulement qu'à la dégradation de la cellule familiale.

Ne me sentant pas assez qualifié pour déterminer les tâches spécifiques qu'il incombe à chaque membre d'une famille de remplir afin de contribuer au bonheur complet, à l'harmonie au sein de la cellule familiale dans laquelle il évolue, je m'en vais donc me limiter simplement aux constations que j'ai pu faire, aux expériences vécues au cours des recherches qui ont servi de préambule à ce livre.

Nous vivons actuellement une époque si difficile qu'il semble évident que tout a été mis en oeuvre pour détruire la vie de famille. La cellule familiale actuelle est-elle aussi en grand danger qu'on le prétend souvent? Oui, c'est indéniable! L'infidélité conjugale, la criminalité montante, les relations humaines qui se font de plus en plus difficles, l'usage de la drogue, l'égoïsme et les nombreux autres fléaux de notre époque constituent un indice certain, une preuve concrète que quelque chose ne tourne pas rond au sein de la famille. Aujourd'hui, vu la façon dont les choses se déroulent, on est même arrivé à douter du bien-fondé de la famille. Pourtant, faire peu de cas de la vie de famille, éliminer son importance, c'est ruiner toute la société.

Mais qu'est-ce qui, au juste, fait défaut dans la cellule familiale moderne? Beaucoup de facteurs sont à la base des problèmes que confrontent les familles actuelles. Cependant, en questionnant les divers membres de la famille de notre temps, et en exposant les faits tels qu'ils se présentent, on ne peut manquer de découvrir que dans bien des cas, l'harmonie et tout le bonheur qu'on espérait puiser au sein de la cellule familiale dans laquelle on évolue, sont souvent menacés uniquement à cause du refus de chaque membre de jouer convenablement le rôle qui lui est échu.

Durant ces dernières années, que d'adolescents et de jeunes enfants n'ai-je pas rencontrés qui, par leurs comportements et leurs commentaires n'ont pas manqué de faire ressortir les causes réelles de la dégradation de la vie familiale. De nombreux jeunes gens sont malheureux, découragés de la vie, s'adonnent au larcin et deviennent souvent des criminels tout simplement parce que bien souvent, ces mêmes jeunes garçons ou jeunes filles sont profondément malheureux au sein d'un foyer où les principaux membres, le père et la mère, ne jouent pas convenablement leur rôle respectif, quand ils n'arrivent pas aussi à l'ignorer totalement.

Aujourd'hui, nombre de parents ne nourrissent que des ambitions matérialistes. Pour se procurer un certain bien-être matériel leur permettant de jouir des commodités, aussi des «luxes» de la vie moderne, ils ont deux ou trois emplois. Pour épater voisins et amis par l'étalage de leurs possessions, ils relèguent souvent la formation et l'éducation instructive de leur progéniture à l'arrière-plan. Ainsi, ils peuvent jouir aisément du bon temps. L'homme, époux et père moderne, se soucie bien plus de voir sa photo étalée sur les pages du quotidien local que de former ses enfants pour qu'ils deviennent des individus honnêtes, respectueux des lois et des droits d'autrui; afin d'être à leur tour bien équipés pour pouvoir faire face à leurs responsabilités quand ils auront à prendre en main les destinées d'une nouvelle cellule familiale: leur foyer à eux.

A mesure qu'on s'entretient avec nombre de parents concernant la vie de famille, on se rend compte qu'ils ne sont même pas renseignés sur le rôle qu'ils ont à y jouer. Plusieurs maris ont mentionné que selon eux, le principal rôle d'un mari et père consiste à se lever tôt le matin pour se rendre à son travail, y travailler jusqu'à cinq heures, puis, regagner le foyer et s'attabler pour souper après avoir pris un bon bain. Puis, après avoir avalé goulûment un souper qu'ils pensent avoir bien mérité, ils vont s'«écraser» devant le petit écran pour profiter d'une soirée de repos qui leur revient de droit. Un ou deux soirs par semaine, ils s'accorderont une sortie à la brasserie du coin en compagnie de copains. Ce qui, aussi selon leur dire, leur revient de droit.

Quant à la mère et épouse, il semble bien que suite à l'enseignement qui lui a été transmis par sa mère, sa grand-mère et son arrière-grand-mère, le rôle qui lui convient le mieux, et dont elle doit s'acquitter sans maugréer ne consiste qu'à laver des chaussettes, préparer des repas, faire la vaisselle, nettoyer des vitres et les planchers et surveiller les enfants. On n'a qu'à regarder les annonces télévisées des compagnies de savon et de poudre à récurer pour très vite se rendre compte qu'aux yeux de notre société, qui se dit «moderne», le rôle de la femme, épouse et mère n'est rien d'autre que celui d'une bonne à tout faire.

La cellule familiale ressemble un peu aux diverses pièces qui composent un moteur d'automobile. Quand toutes les pièces se trouvent bien à leur place respective, qu'elles sont bien huilées et ajustées convenablement, le moteur tourne rond comme on dit. Un tel moteur fonctionne sans gêne ni friction. L'automobiliste n'a qu'à prendre soin du moteur de sa voiture et il sera à même d'en profiter durant de nombreuses années. Mais là s'arrête la comparaison. Un moteur d'automobile est composé de pièces de métal simples; des pièces inanimées et dépourvues de la faculté de penser, de raisonner et de décider. Mais au sein de la famille, il s'agit par contre d'éléments humains et non pas de simples pièces de métal inanimées. Par conséquent, chaque membre de la famille doit faire appel à sa capacité de penser, de raisonner. Qu'il développe adroitement son sens des responsabilités et qu'il emploie pleinement son intelligence afin de toujours agir avec discernement, compréhension, amour, bienveillance et bonté envers les autres éléments composant le cercle familial et toute la «machine» fonctionnera à merveille.

Le mari et père doit comprendre que s'il est important qu'il aille travailler afin de gagner l'argent nécessaire qui lui permettra de subvenir aux besoins matériels de sa maisonnée, son rôle ne s'arrête cependant pas là; il n'est pas qu'un simple pourvoyeur. Bien que de nombreux hommes, maris et pères, n'en soient pas tout à fait conscients, le rôle d'un mari consiste aussi à combler pleinement les besoins affectifs de sa femme en particulier et de tous les membres de la famille en général. Le mari doit donc comprendre qu'il s'acquitte fort mal de sa tâche quand, le soir après sa journée de travail, il va s'écraser devant la télé afin de profiter de ce repos qu'il prétend avoir bien mérité.

Pour le mari et père, combler les besoins affectifs de l'épouse et des enfants consiste à garder bien présent à l'esprit qu'un être humain ne devient sain de corps et d'esprit que lorsqu'il évolue dans une cellule familiale au sein de laquelle le mari et père est en tout temps abordable, compréhensif, bienveillant et sans cesse disposé à dialoguer avec les autres membres de la famille. On comprend donc mieux pour quelles raisons tant d'épouses et enfants malheureux de notre époque font tout leur possible pour se «libérer» d'un foyer où le mari et père ne semble avoir qu'un seul objectif: monter le plus haut possible dans l'échelle de la société moderne sans même se soucier de combler les besoins affectifs des membres de sa famille.

Mais le mari et père a encore d'autres tâches à accomplir. Et l'une de ces tâches, sans doute la plus importante, consiste à combler les besoins spirituels de toute la famille. Le mari et père ne doit jamais oublier que ce rôle lui appartient en particulier et qu'il ne doit, pour une raison ou une autre, se décharger de cette importante mission en la confiant à son épouse ou à quelques professeurs de morale. Tout être humain a besoin de spiritualité; et quand les besoins dans ce domaine ne sont pas comblés, la place est vite prise par d'autres passions égoïstes et souvent malsaines pour l'individu lui-même d'abord, la famille et la communauté ensuite. Même si notre société, qui se dit moderne, tend le plus en plus vers le matérialisme, le mari et père doit toujours garder à l'esprit que tout être humain a besoin de Dieu, besoin de compter sur Dieu, et que c'est à lui, le père et mari, que revient la tâche de combler les besoins des siens dans ce domaine.

Aujourd'hui, on se soucie fort peu de nos relations avec l'Auteur de la vie de famille. Cependant, voyez dans quel lamentable état se trouve la famille moderne. L'adultère, l'infidélité sous toutes ses formes, la délinquance juvénile, et beaucoup d'épouses et d'enfants seuls, délaissés et malheureux, ne cessent de souffrir et de gémir à cause de tous ces pères et maris qui ne se sont jamais souciés de la spiritualité de la famille.

Pour ce qui est de la femme, l'épouse et mère, son rôle est loin de se limiter au lavage, au repassage, au reprisage, à l'époussetage et au nettoyage. Devant Dieu, la femme est un être de grande dignité, au même titre que l'homme. Certes, l'homme, par sa constitution, a reçu la mission de s'acquitter de certaines tâches particulières au sein du foyer. Mais dans l'accomplissement de ces diverses tâches qui sont très importantes pour le bien-être et le bonheur de tous les membres de la famille, l'épouse et mère doit comprendre qu'elle a un rôle fort important à jouer elle aussi. Sans le précieux concours d'une épouse qui soit à la fois compréhensive, bonne et habile, le mari et père aurait beaucoup de difficultés à jouer pleinement son rôle. Dans tout foyer harmonieux et équilibré on voit toujours une épouse et mère qui, se montrant une excellente collaboratrice, n'a jamais cessé de comprendre que le principal rôle d'une femme ne consistait pas seulement à se limiter aux plats et à la lessiveuse.

Et quand deux parents, un mari et une épouse qui se complètent harmonieusement, s'unissent conjointement, on ne manque pas de voir des petits enfants respectueux et bien élevés qui, au fur et à mesure qu'ils grandissent, deviennent à leur tour des citoyens équilibrés, polis, justes, respectueux des lois, et bienveillants envers autrui. Oui, quand deux parents s'unissent et éduquent leurs rejetons dans la seule voie qui soit juste et droite pour eux, c'est finalement toute la société qui s'en ressent. Le foyer est encore le meilleur endroit de formation pour l'enfant. L'enfant qui est heureux au foyer, qui peut compter sur la sage discipline de parents qui, sacrifiant un peu de leurs ambitions matérialistes, prennent le temps de l'aimer, de le comprendre, de l'orienter, le discipliner, cet enfant deviendra un citoyen heureux; et à son tour, il donnera naissance à une nouvelle cellule familiale au sein de laquelle viendront s'ajouter d'autres êtres qui seront pleinement heureux à leur tour.

En parcourant les colonnes des grands journaux du monde, on constate que les hommes passent beaucoup de temps à chercher la solution aux problèmes de l'humanité. Mais si ces mêmes hommes passaient la moitié de ce temps à résoudre les problèmes de leur propre famille, les problèmes de l'humanité seraient vite atténués.

Dans cette leçon, je n'ai pas voulu m'étendre sur tous ces mouvements de libération de la femme, de l'enfant, ou de l'homme, qui sont à l'ordre du jour, çà et là dans la plupart des grandes villes. En ce qui me concerne, je conclus, après avoir pris en considération la constitution de l'homme et de la femme, que je vois mal mon cousin qui est dans la police, qui mesure plus de six pieds, qui a des mains larges comme des charrues et de longues jambes poilues se présenter à la clinique d'urgence de l'hôpital de notre ville afin d'accoucher d'une petite fille mignonne. Et d'un autre côté, je vois très mal notre voisine d'en face jouer au marteau-pilon alors qu'elle est présentement enceinte de huit mois. A mes yeux, je ne vois pas, dans l'homme et la femme, ni l'être viril, ni l'objet du sexe, mais de préférence, l'époux et l'épouse, le père et la mère, qui s'aiment et sont harmonieux. Je vois, dans le couple, deux êtres majestueux qui se complètent à merveille et qui, ensemble, unissent loyalement leurs efforts afin de s'acquitter de la seule vraie mission qui incombe aux parents: aimer Dieu et la vie, communiquer entre eux et entretenir chez leurs petits la flamme de bonheur familial qui se perpétue depuis le commencement du monde et qui ne s'éteindra jamais.

Dans le mariage, il importe de bien comprendre qu'il est impossible de trouver le partenaire, ou le conjoint «idéal». Mais l'essentiel, ce n'est pas de trouver le partenaire idéal, c'est plutôt de se trouver «soi-même». Et après qu'on s'est trouvé soi-même, qu'on s'est finalement compris et ajusté aux autres différents éléments humains qui composent la cellule familiale, on n'a plus besoin alors d'avoir trouvé le conjoint idéal. Car alors, et voilà ce qui devient finalement extraordinaire, une fois qu'on devient soi-même «idéal», tout le reste s'idéalise de lui-même; ceci, au fur et à mesure qu'il s'ajuste avec notre idéalisme. En fin de compte, le partenaire idéal, les enfants idéaux, ne sont possibles qu'à une seule condition: qu'on devienne «idéal» soi-même.

15

Méfiez-vous
de l'ambition

«Ce n'est pas l'avoir qui constitue l'abondance, mais ce qui est apprécié.» Pour sa part, le roi Salomon a écrit: «Mieux vaut un plat de légumes là où il y a de l'amour, qu'un taureau engraissé à la crèche et de la haine avec.» A ceci, ajoutons cet autre proverbe de Salomon: «Mieux vaut peu avec la justice qu'une abondance de produits sans équité.»

Connaissez-vous l'histoire d'Esaü qui, en échange d'un simple plat de lentilles, céda son droit d'aînesse à son frère Jacob? Un jour qu'Esaü revenait de la chasse, il avait tellement faim qu'il était prêt à tout faire pour pouvoir se procurer un plat de nourriture. Voyant son frère Jacob, il lui proposa un marché hors du commun: en échange d'un bon plat de lentilles, il lui donnerait son droit d'aînesse, le droit de recevoir les bénédictions paternelles réservées uniquement à un fils aîné à l'époque.

Il est vrai que suite au marché conclu, il fut possible à Esaü de se régaler à satiété. Mais ce n'est qu'après avoir apaisé sa faim qu'il commença à prendre conscience de l'acte qu'il venait de poser, de ce qu'il venait de perdre. En effet, à cause de sa conception purement matérialiste des choses, Esaü subit une perte irréparable, et c'est finalement son frère, dont la perception des choses allait beaucoup plus loin que la satisfaction immédiate d'un appétit tiraillé par les affres de la faim, qui profita des précieux privilèges auxquels donnait accès la bénédiction d'Isaac leur père.

De nos jours, il en est de même dans nombre de foyers. Que de choses importantes de nombreux parents ne sont-ils pas disposés à sacrifier en échange d'un avantage immédiat pouvant leur procurer une certaine satisfaction matérielle et le plus souvent égoïste! La conception de nombreux maris et pères, épouses et mères, est tellement limitée à ce qui se voit dans l'immédiat qu'ils n'aperçoivent même pas les choses précieuses et importantes dont ils ne peuvent immédiatement en saisir la portée.

Ces dernières années, j'ai rencontré au moins une centaine d'hommes qui, dans l'unique but de satisfaire la soif d'avoir un meilleur salaire, de se voir enfin accorder l'importante promotion pour laquelle ils ont consenti tant de sacrifices, ou pour éprouver la sensation de devenir prestigieux, n'ont pas hésité un seul instant à sacrifier le temps limité qu'ils pouvaient consacrer à leur épouse et à leurs enfants, bref à leur foyer. J'ai sous les yeux à peu près une dizaine de photos extraites des pages de journaux, photos d'hommes bien connus qui, selon toute probabilité, ont réussi à gravir les échelons du monde commercial, socio-économique. Bien que ces «champions» aient fort bien réussí comme on dit, qu'est-ce qu'on ne manque pas de découvrir en scrutant un peu plus à fond leur vie privée? Des êtres qui ont lamentablement échoué à la direction de l'entreprise qui doit être considérée comme étant la plus importante dans la vie de tout homme: je veux citer l'entreprise familiale.

J'en connais personnellement un qui, au dire de ses amis et aux yeux de tous est passé pour avoir fort bien réussi sa vie. Agé de cinquante ans, cet homme est désormais une espèce de vedette consacrée, glorifiée et adulée dans le monde des affaires et la haute finance ne cesse de le citer comme un précieux modèle à imiter. C'est maintenant un millionnaire. Ses enfants fréquentent les meilleures écoles. Il possède au moins quatre résidences, trois automobiles. Ses réserves de bonne nourriture sont abondantes. Mais il y a, semble-t-il, quelques ombres au tableau. Récemment, on a découvert que sa femme commençait à souffrir de la solitude et s'en plaignait davantage puisque le départ de ses enfants du toit familial venait en outre creuser un plus grand vide autour d'elle. Son mari est tellement pris par toutes sortes de conférences qui n'en finissent plus, tellement accaparé par des projets de plus en plus ambitieux et dont la liste s'allonge sans cesse qu'il se trouve dans l'impossibilité de consacrer un moment à sa femme afin d'être auprès d'elle et ainsi la rendre heureuse. Ce «glorieux» mari est même persuadé que sa femme doit être une femme comblée vu qu'il est devenu une sorte d'idole monétaire par excellence. Etant millionnaire et ayant de ce fait de grands moyens, et vu son âge, il pourrait jouir de ce grand bonheur que procure la compagnie de son épouse. Il pourrait aussi consacrer plus de temps pour être auprès de ses enfants qui, ainsi, auraient l'occasion de profiter de sa grande expérience de la vie. Et pour excuser son absence continuelle, quel argument invoque-t-il d'après vous? Le manque de temps! Cet individu gaspille lamentablement les meilleures années de sa vie en compagnie d'«amis» financiers tous aussi avides que lui.

Au moment où je griffone ces lignes, le cas d'un autre homme dans la trentaine qui, lui aussi, semble avoir réussi sa vie, me vient à l'esprit. Présentement, il dirige une entreprise florissante dont le nombre d'employés dépasse la centaine. Quelques années de cela, alors que ce jeune premier du commerce n'était que simple vendeur pour une autre compagnie, il se trouvait aisément du temps nécessaire pour jouir de quinze bonnes journées de vacances dans le Sud en compagnie de sa femme. Et au cours des vacances d'été, on pouvait voir ce jeune père jouer avec ses enfants dans la cour de sa maison. A cette époque, il était disponible. Il suffisait de regarder rire sa femme et ses enfants pour constater jusqu'à quel point ces derniers étaient heureux de la présence régulière d'un mari et père. Et maintenant, qu'en est-il de cet homme d'affaires prestigieux qui fait la manchette des journaux? L'été dernier, sa femme et ses enfants ont été obligés de rester à la maison parce que Monsieur était trop «pris» pas SES engagements. Et cet hiver, les vacances dans le Sud ont dû être tout simplement annulées. Pourquoi? Encore une fois, Monsieur sera pris par SES affaires. Quel illogisme, n'est-ce pas? Voyez ce que cet homme «prestigieux» a sacrifié en échange d'un simple plat de «lentilles»!

Que dire de cet autre homme qui, un beau jour, décida de se lancer dans la politique. Après avoir mené campagne et passer plusieurs nuits blanches à élaborer toutes sortes de plans électoraux, on dirait qu'il a finalement connu du succès. Mais qu'a dû sacrifier cet ambitieux assoiffé de gloire en échange d'un plat de lentilles? L'amour de sa femme, laquelle l'a abandonné parce qu'elle en avait assez d'être toujours seule à la maison; et en plus, l'affection de ses enfants, lesquels vouent plutôt une certaine rancœur à ce père égoïste qui n'avait pas hésité un seul instant à les abandonner à eux-mêmes, à les priver de sorties afin de pouvoir satisfaire sa soif de gloire.

Une femme d'un certain âge menait bonne vie dans son petit appartement de quatre pièces. Un beau jour, ayant pris conscience que toutes ses amies étaient confortablement installées dans de belles grandes maisons, et qu'elles semblaient toutes très «heureuses», elle décida qu'elle en avait assez de vivre dans un appartement de quatre pièces et fit pression sur son mari à un point tel que la «maison du bonheur» fut enfin en construction. Le salaire du mari étant insuffisant, ce qui se produit le plus souvent dans de tels cas, elle décida, avec l'approbation de son conjoint qui, d'ailleurs n'avait plus tellement le choix, d'aller travailler. Oui, aujourd'hui, ils ont leur maison. Mais il ne s'agit pas tout à fait de la maison du bonheur qu'ils s'attendaient d'avoir. Non, car chaque soir, ces époux ne se couchent jamais sans se quereller à propos du budget qui, à cause de l'inflation galopante, se fait de plus en plus restreint, ou à propos des enfants qui se retrouvent souvent seuls à la maison faute d'une gardienne pour veiller sur eux. Et voilà que Madame est maintenant en train de découvrir que ses amies vivent elles aussi le même cauchemar.

Echanger sa femme, son mari, ses enfants, son bonheur familial et sa tranquillité d'esprit contre un meilleur revenu, un peu plus de prestige, une parcelle de gloire instantanée, c'est agir comme Esaü qui, en échange d'un simple plat de lentilles, n'hésita pas à sacrifier son droit d'aînesse, sans même prendre le temps de réfléchir à tout ce qui était rattaché à ce droit d'aînesse à cette période lointaine. Mais combien de gens à notre époque, sans même prendre le temps de réfléchir, n'hésitent pas un seul instant à accepter une promotion, à s'impliquer dans un surcroît de travail ou à s'endetter à un point tel que l'autre conjoint devra maintenant se résigner à aller travailler afin de combler le déficit mensuel qui se fait de plus en plus imposant et qui s'appesantit constamment. Voilà de quelle façon de nombreux «Esaü» modernes sacrifient leurs droits d'aînesse en échange d'un pitoyable plat de lentilles qui ne dure que le temps d'un repas.

A chaque fois que je me rends dans un salon funéraire, je ne puis m'empêcher de réfléchir très sérieusement sur la vie. Le roi Salomon a même écrit que c'est au salon funéraire qu'il fallait se rendre afin d'apprendre à vivre. Avez-vous déjà observé comment un corps peut avoir l'air beau et propre une fois qu'il se trouve dans un beau cercueil, lequel est tout garni de belle soie et fait de bois précieux et dispendieux? Mais, bien que le tout semble beau et propre, avez-vous remarqué l'absence de toute vie? En effet, tout est beau, propre et bien ordonné dans le cercueil; mais aussi, tout est bel et bien mort, sans vie! Tout semble reposant, mais rien n'est vivant; et rien n'est prédisposé pour le dialogue! Et nous, les vivants qui restons, quelle leçon pouvons-nous bien retirer d'une brève visite au salon funéraire?

On en tire d'abord la leçon suivante: qu'il soit très riche ou très pauvre, l'individu mort n'a pas plus de valeur qu'un animal mort. Ne dit-on pas, d'ailleurs, que «Mieux vaut un chien vivant qu'un lion mort!» On doit aussi conclure qu'une fois mort, les désirs et les pensées de l'homme ambitieux périssent avec lui. On peut aussi se poser la question suivante: que reste-t-il de tous les biens qu'il n'a cessé d'accumuler en échange de sa présence auprès des siens? Il n'en reste rien pour lui, absolument rien. Comme Job, il était venu au monde complètement nu; et comme Job l'a si bien dit déjà, «NU», voilà de quelle manière l'ambitieux s'en retourne à la poussière. Et voilà comment le sage, une fois qu'il est sorti du salon funéraire, se doit de réfléchir.

Comprendre combien mieux vaut posséder peu de choses, acquérir peu de gloire, mais donner de sa présence aux siens, à sa femme et à ses enfants; comprendre combien le fait d'être ensemble procure plus de bonheur que de vivre solitaire dans de belles demeures, propres et bien décorées, mais vides de présence d'un être aimé dont l'absence fait souffrir.

A quoi peut bien servir une somptueuse maison, richement décorée et remplie à craquer de toutes les bonnes choses de la vie, si l'on n'a pas l'occasion, ni le temps de se fréquenter, de s'aimer, dialoguer, se connaître, se comprendre, s'apprécier et se rendre mutuellement heureux? A quoi peuvent bien servir ces luxueuses limousines si on n'a pas même l'opportunité d'y faire monter toute la famille pour une bonne promenade en ville ou pour aller jouir d'une bonne quinzaine de vacances en leur douce compagnie? A quoi peuvent bien servir tous ces comptes en banque et ces actions si, pour les accumuler, les parents doivent sacrifier leur bonheur conjugal et la joie de serrer à satiété leurs petits dans leurs bras?

Au cours de ma visite chez un notaire afin de rédiger mon testament en compagnie de mon épouse, j'eus l'occasion d'entendre ce dernier réciter le «chapelet de longues litanies» dont sont constitués de tels documents. A un moment donné, je n'ai pu m'empêcher d'interrompre le notaire et je me suis mis à l'entretenir sérieusement de tous ces «Je donne ceci! Je donne cela!», «Je donne ceci à tel enfant!», «Je donne cela à tel autre!» Etc... Et là, au cours de la rédaction de ce document, j'ai appris, j'ai tiré toute une leçon de vie. Je me demandai comment se faisait-il que nous soyons ou serons aussi généreux au jour de notre mort. J'ai compris qu'à la place des mots «Je donne», qui jalonnent les testaments, il faudrait plutôt y inscrire les mots «Je lâche», ce qui est beaucoup plus exact et approprié. J'ai compris que si c'était possible, la personne morte apporterait avec elle ses richesses et ses biens. Elle le ferait volontiers si toutefois elle le pouvait. Alors la question suivante me surgit à l'esprit: pourquoi tant de «générosité» une fois mort, et tant d'égoïsme quand on est encore vivant? Pourquoi est-on si avare en fait de présence, de chaleur humaine, de petites marques de tendresse, d'affection et de compréhension envers les siens pendant qu'on est encore en vie? La vraie générosité ne se mesure pas d'après la somme des biens qu'un mort est forcé de «lâcher» à sa descendance; mais elle se mesure de préférence par la somme de présence, d'amour, d'attention, de bonté et de compréhension qu'un être déverse et répand tout autour de lui de son vivant.

Partant de cela, j'ai tiré finalement la conclusion que c'est uniquement pendant qu'il vit, qu'il respire et qu'il transpire, qu'un être humain, si intelligent et doué soit-il, se doit de vivre pleinement, soit de dégager tout autour de lui la plus grande flamme de bonheur possible. C'est quand il est en pleine possession de toutes ses facultés mentales, de son énergie vitale, que son coeur bat qu'un mari et père, qu'une épouse et mère, qu'un adolescent ou une jeune fille, se doit de se mettre pleinement à la disposition des êtres qui l'entourent; qu'il se doit d'être chaleureux et compréhensif, bienveillant et compatissant envers autrui. Et si, pour être à même de réaliser ses grands et principaux objectifs, un homme, mari et père, ou une femme, épouse et mère, doit consentir à subir une perte matérielle quelconque, consistant soit en un revenu moindre, soit en diminution de prestige et de gloire, il ne faut jamais, au grand jamais, oublier ces précieuses paroles tirées des Proverbes de Salomon: «Les choses de valeur du riche sont Sa ville forte, et elles sont, DANS SON IMAGINATION, comme une muraille protectrice.»

Oui, des «lentilles», rien d'autre que de simples lentilles! Et, comme l'a si bien écrit Bernard Shaw: «Il y a deux tragédies dans la vie; l'une est de ne pas avoir ce que l'on désire, la seconde est de l'avoir.»

16

Attention aux dettes

Au moment où j'écris ces lignes, je lis dans un journal commercial que la récession se fait désormais sentir aux Etats-Unis. Nos voisins du Sud dépensent plus d'argent qu'ils ne produisent, maintenant ils connaissent la faillite. Il y a belle lurette, un autre journal relatait que la dette nationale canadienne était tellement élevée que chaque nouveau-né se retrouvait automatiquement endetté d'environ deux mille dollars dès sa naissance. En effet, ce n'est plus un secret pour personne, nous sommes devenus une génération d'individus endettés.

Sur la liste des principaux obstacles au bonheur familial, l'endettement fait immédiatement suite à l'ambition. Si l'endettement des pays est devenu catastrophique, le drame, lui, se joue au sein des familles endettées. Si les dettes font toujours entorse à l'économie d'un pays, d'une nation, c'est au sein de la famille endettée au-delà de ses possibilités que se déroule le pire drame. Oui, quand une maisonnée se retrouve avec des dettes au point de ne plus être en mesure de concilier débits et crédits, cela suscite parmi ses membres des querelles, des tensions et déchirements de toutes sortes et conduit inévitablement à de nombreux malheurs.

Autrefois, je m'en souviens, nous n'avions pas tellement le choix. Il fallait travailler dur et économiser si l'on voulait se procurer un bien désiré ou même le strict nécessaire. Mais, combien nous l'appréciions ce bien une fois qu'il se trouvait en notre possession, après l'avoir entièrement payé, bien entendu. On pouvait alors en profiter et dormir tranquille, sachant que personne ne nous ferait des menaces à propos de versements acquittés en retard. Et n'étant pas obligés de nous éreinter en tenant deux ou trois emplois afin de faire face à nos paiements devenus trop élevés, nous avions amplement le temps de profiter de notre nouvelle acquisition.

Mais que de choses ont pu changer en moins d'un demi-siècle. Aujourd'hui, on essaie de faire accroire au monde que posséder des cartes de crédit en grand nombre, c'est faire preuve d'intelligence. «Equipez-vous intelligemment!» nous crie-t-on à longueur de journée. Comme si tous ceux qui utilisent de pareilles cartes pour effectuer leurs achats agissent plus intelligemment que les autres, soit ceux qui croient toujours qu'une soi-disant carte de crédit devient automatiquement une carte de «débit» à chaque fois qu'on s'en sert.

Dans un magasin aux multiples rayons, après avoir choisi un article d'une dizaine de dollars, je passai à la caisse. Quelle ne fut ma surprise d'entendre la jeune caissière me demander si je désirais me servir d'une carte de crédit émise par le magasin en question pour payer. Après l'avoir interrogée sur la raison d'une telle proposition, étant donné l'achat minime que je venais de faire, celle-ci me répondit que la direction de cette chaîne de magasins obligeait toutes les caissières à offrir des cartes de crédit maison à tous les clients qui se présentent aux caisses. Quel illogisme! Je me suis rendu à ce magasin parce que je désirais justement économiser un peu d'argent sur l'achat que je venais d'effectuer et voilà qu'après m'avoir sournoisement attiré chez eux, ces mêmes marchands voulaient me voler mes économies réalisées, par des frais de crédit de toutes sortes.

Au printemps dernier, pour citer 1979, je reçus un appel téléphonique d'une compagnie de finance avec laquelle j'avais déjà été bien obligé de contracter des affaires dans le passé. Cette compagnie se «souciait» tellement de mon bien-être personnel qu'elle m'offrait de l'argent en emprunt en attendant le remboursement de mes impôts payés en trop. Juste pour vérifier, je demandai à la voix mielleuse à l'autre bout du fil quel serait le montant total que je devrais rembourser si j'empruntais quatre cents dollars. Quelle fut ma surprise de l'entendre me répondre, avec beaucoup d'hésitation, que j'aurais environ six cents dollars à rembourser. Imaginez! Chez ces détenteurs de la finance, on appelle cela un «petit service» pour «dépanner» un bon client. Tout un service, n'est-ce pas? Me retrouver plus pauvre de deux cents dollars uniquement parce que quelqu'un de «très gentil» a bien daigné me rendre service.

De nos jours, l'endettement est bel et bien devenu un bien commercialisable. Dans quelque domaine que ce soit, et quel que soit l'achat qu'on désire effectuer, il ne manque pas de «requins financiers» qui, soigneusement déguisés sous la forme d'institutions respectueuses et surtout, très légales, ne ratent pas une occasion pour nous offrir un p'tit coup de pouce par ci, par là. On distribue les cartes de crédit à la tonne sans nullement se soucier des possibilités de remboursement de ceux qui les reçoivent. Il suffit d'être connu dans le monde du crédit, d'avoir un bon emploi, pour se voir automatiquement attribuer les cartes de crédit désirées - lire «débit», ce qu'elles sont dès l'instant qu'on les utilise. Faites tout ce que vous voulez avec vos cartes de crédit, mais attention, malheur à vous si jamais, à la fin du mois, vous vous trouvez dans l'impossibilité de payer vos achats. A ce moment-là, on vous attend avec de jolis taux d'intérêts capables de réveiller un riche financier qui serait mort dans les années cinquante.

Certes, les commerçants et les institutions financières avancent comme argument qu'il appartient à chaque individu de se contrôler, que c'est à lui qu'il importe d'effectuer ses achats avec raison et aussi à lui qu'il revient de se servir de ses cartes de crédit de façon intelligente. Mais comment un pauvre père de famille peut-il faire appel à sa raison quand, durant la période des fêtes, une avalanche de vendeurs à pression, déguisés en pères Noël, ne cesse d'intimider ses jeunes enfants en leur chantant qu'ils ne seront pas complètement heureux si leur père ne leur achète pas le dernier jouet à la mode, ou encore, les beaux skis qui sont présentement en vente chez sport-crédit? Certes, tout individu est libre et doit être tenu responsable de ses décisions, mais comment résister à tous ces beaux messages publicitaires qui ne cessent de répéter jusqu'à quel point il fait beau dans le Sud alors qu'on gèle ici chez nous? Oui, comment résister à la tentation de ne pas faire une brève visite à la banque afin de signer le petit document magique qui permettra enfin cette belle envolée dans le Sud avec toute la famille?

C'est bien certain que tout individu doit être considéré comme étant le seul responsable de ses actes, mais comment résister à l'envie de ne pas s'acheter enfin la maison de ses rêves quand on voit tous ces jeunes couples emménager dans ces belles et luxueuses maisons qui poussent comme des champignons ici et là? Et comment résister à tous ces beaux chèques de remboursement que promettent de nous faire parvenir les grands magnats de l'automobile à la seule condition de passer chez le concessionnaire et d'acheter une voiture neuve?

Certes, il n'y a rien de mal à s'acheter certains objets qui contribueront à la détente de toute la famille. Il n'y a rien de mal à désirer aller dans le Sud, y passer une quinzaine. Il n'y a rien de mal à désirer une maison neuve, une voiture neuve, des meubles chics, des vêtements à la mode; désirer déguster un bon repas dans un restaurant spécialisé. Non, à désirer jouir de ces choses, il n'y a rien de mal. Ce ne sont que des désirs légitimes. Il n'y a rien de mauvais à les désirer, mais c'est de préférence le fait de s'atteler pour trente-six paiements consécutifs, voilà ce qui fait mal à un travailleur, à un couple, à des parents, et à toute une maisonnée. Le mal, ce n'est pas de jouir d'un bien, ou d'un plaisir légitime. Non, le mal, le grand malheur, réside dans le fait de troubler la paix, l'harmonie du foyer; éliminer les moments de détente en famille et aussi sa tranquillité d'esprit, soit sacrifier le bonheur des membres de la famille.

L'endettement est devenu un véritable fléau pour la famille moderne. Malheureusement, il n'y a pas que les parents qui s'endettent inconsidérément, qui paient fort cher le fait d'avoir succombé à la tentation d'assouvir la passion d'un moment. Les enfants aussi paient pour les erreurs des parents.

A ma connaissance, j'ai à l'esprit au moins trois familles qui ont fait naufrage à cause de l'endettement inconsidéré. Les membres de ces trois familles avaient tous un même objectif: jouir du plus grand confort possible. Dans ces trois cas précis, le fardeau dû aux dettes est devenu tel que les trois épouses et mères ont dû sacrifier leur présence auprès de leurs enfants pour aller travailler à l'extérieur, ceci, afin de suppléer aux revenus des maris, revenus qui devenaient de plus en plus insuffisants.

Dans les trois cas, les maris se sont retrouvés chômeurs suite à certaines difficultés rencontrées par les entreprises qui les employaient. Dans les trois cas, les maris, se retrouvant seuls à la maison et sans emploi, ont commencé à s'adonner à l'alcool au point qu'aujourd'hui, les trois hommes sont devenus des ivrognes, lamentablement accrochés à l'assistance publique. Et qu'en est-il des enfants de ces trois familles? Au moins quatre jeunes filles sont devenues des filles mères alors qu'elles n'avaient même pas atteint l'âge de dix-sept ans; au moins trois jeunes garçons s'adonnent à la drogue, ont quitté l'école et reçoivent de l'aide sociale; et un fils est présentement en prison. Quant aux trois femmes, elles, elles passent tout leur temps à regarder la télévision et à fumer cigarette après cigarette. C'est la communauté des travailleurs qui doit maintenant subvenir aux besoins élémentaires d'une vingtaine de personnes, car les épouses, découragées par le flot des dettes et des problèmes, ont cessé de travailler à l'extérieur.

Vous pensez peut-être qu'il s'agit là tout simplement d'un hasard, que les choses ne sont pas aussi dramatiques qu'elles le paraissent. C'est ce que je pensais moi aussi. Mais après avoir discuté du sujet avec quelques travailleurs sociaux, ces derniers ont été unanimes pour me dire que dans la plupart des cas où l'assistance publique se doit d'intervenir, il s'agit souvent de foyers qui se sont endettés au-delà de leurs possibilités de rembourser.

Il est bien certain qu'il est parfois nécessaire de recourir à l'endettement; cela, même si des parents se montrent prévenants le plus possible. Et dans bien des cas, on a pu constater que ce n'est que grâce au fait d'avoir recouru à un emprunt que certaines personnes ont pu réaliser des projets fort valables. Nous vivons aussi dans un monde d'incertitudes où la maladie, les hasards qui sont toujours possibles et l'inflation font que parfois, il est vital de recourir à l'endettement. Pour bien des personnes, une carte de crédit peut aussi s'avérer fort utile. Dans le cas d'un voyageur de commerce par exemple. Mais dans tous les cas, pour qu'une carte de crédit puisse toujours rester ce qu'elle doit être vraiment, une carte de «crédit», il est important que le paiement des factures s'effectue au fur et à mesure que parviennent les états de compte. Dans tous les cas où des achats ne sont pas acquittés dès le jour de réception de l'état de compte, il s'agit tout simplement d'endettement pur et simple.

Dans bien des cas aussi, une famille jugera peut-être qu'il convient mieux de s'endetter pour s'acheter une maison que de payer sans cesse un loyer au propriétaire, sans jamais revoir la couleur de son argent. Mais que ce soit lors de l'achat d'une maison ou tout autre achat, un désastre familial peut facilement survenir quand des parents se lancent aveuglément dans une telle aventure. Si, par exemple, des parents se voient forcés d'effectuer deux ou trois emprunts pour être en mesure de verser le paiement initial sur l'achat d'une maison, le bonheur conjugal et familial s'en trouve menacé et est en grand danger. Car, qu'ils le veuillent ou non, le jour viendra très vite où il leur faudra rembourser le capital initial, ceci, en plus des mensualités consécutives qui ne manquent jamais d'être fidèles au rendez-vous, bon mois, mauvais mois.

En considérant l'achat d'une maison, il ne faudrait pas non plus ne tenir compte que du capital-intérêts-taxes, un point, c'est tout. Non, acheter une maison, c'est beaucoup plus que d'acquitter fidèlement un paiement mensuel à date fixe pour une durée de vingt-cinq ou trente ans. Il faut aussi tenir compte des luminaires, des gouttières, de l'aménagement du sous-sol et du terrain, des frais de notaire, des assurances, des réparations, des modifications, sans non plus oublier tous les défauts cachés de construction qui ne manqueront pas de surgir un jour ou l'autre. Tenir compte de tous ces faits lors de l'achat d'une maison, voilà qui est tout à fait réaliste et qui dénote un signe de bon sens de la part de parents qui sont d'abord soucieux de la qualité de la vie de tous les membres de la famille plutôt que d'un peu plus de confort. Il faut toujours tenir compte de cette pensée qui atteste qu'il «vaut mieux bien dormir que de dormir dans un bon lit», et de cette autre qui dit qu'«une fois les nécessités de la vie assurées, il n'y a pas plus de bonheur dans un palais que dans une masure».

Il est bien certain que vous devez vous attendre à être moins populaire que vos frères ou soeurs, voisins ou amis si, à cause de votre souci de surveiller l'endettement, vous ne pouvez pas vous permettre d'aller dans le Sud à chaque hiver, à l'instar des «autres»; vous ne pouvez pas vous payer le luxe de changer de voiture à tous les deux ans, comme les «autres» le font; si vous devez vivre dans un petit quatre pièces, ou encore vous contenter d'une maison qui se fait un peu vieillote plutôt que de vivre dans une belle grande maison neuve, comme les «autres». Oui, il est bien certain qu'aux yeux de tout ce beau petit monde, qui

187

«semble» tellement heureux dans tout cet étalage de confort et de luxe, vous ne manquerez pas de passer pour impopulaire, ou même un peu vieux jeu. Mais peut-on se vanter d'évoluer dans une société libre, vraiment libre, quand on ne peut même pas être impopulaire en toute tranquillité?

17

Gare à l'immoralité sexuelle

Un homme d'affaires, âgé de quarante ans, venait d'atteindre le faîte de la gloire. L'argent, les sous comme l'on dit couramment, ne lui manquait point tant ses affaires prospéraient. Encadré d'une charmante épouse et de quatre beaux enfants polis et intelligents, il était un homme qui paraissait réellement heureux.

Un jour, devant s'absenter pour quelques minutes et vu que la gardienne habituelle n'était pas disponible à ce moment précis, l'épouse de cet homme jugea bon d'appeler son mari à son bureau afin de résoudre son dilemme. Elle pensa donc que la jeune et nouvelle secrétaire que son mari venait tout juste d'engager ferait bien l'affaire en lui confiant la garde de son bébé d'à peine deux ans. Aussi en fit-elle part à son mari.

La secrétaire de Monsieur consentit et accepta de rendre ce service à l'épouse du patron. Le chauffeur de service étant absent et se trouvant dans l'impossibilité de procéder autrement, le patron jugea bon de conduire la gardienne impromptue à son domicile.

Quand ils arrivèrent à la maison, Madame se trouvait au seuil de la porte car son taxi l'attendait. Elles n'ont donc fait que se croiser. La gardienne s'introduisit à l'intérieur et voyant que bébé était en pleine sieste, elle se mit en devoir d'accomplir quelques menus travaux. Monsieur le patron, lui, s'apprêtait à regagner son bureau quand, se rappelant tout à coup de quelque chose dont il avait grand besoin, il jugea bon de profiter de la circonstance présente pour se la procurer. Et, arrêtant le moteur de son automobile, il entra dans la maison.

Voilà, en quelques lignes, le préambule d'un drame. Cela aboutit à un procès devant un tribunal criminel. La jeune gardienne accusa son patron de viol et suite à cela, Madame demanda et obtint le divorce. Quant aux enfants, scandalisés par cet acte grave posé par leur père, ils se détournèrent de ce dernier. Monsieur fut jugé, reconnu coupable et emprisonné, payant ainsi sa dette à la société. L'entreprise familiale fit faillite, et à sa sortie de prison, on éprouvait du mal à identifier Monsieur le patron tant il avait changé physiquement, en proie au remord et à la honte. Aujourd'hui encore, il n'est plus que l'ombre de lui-même. Il vit grâce à l'assistance publique et passe la majeure partie de ses après-midi dans un parc à regarder passer les gens et à contempler le soleil, les arbres et les oiseaux. Il est plongé dans une grande solitude. Et quand dernièrement, je me suis entretenu avec lui, à entendre ce vieillard prématuré me raconter sa triste mésaventure, j'ai réalisé que j'avais en ma présence un être profondément découragé qui était fatigué, las de vivre. Il en avait assez de la vie.

Ce récit n'est pas tiré des pages d'un roman policier, ni d'un roman d'amour. Il s'agit d'un fait bel et bien vécu que n'a pas hésité à relater l'acteur principal qui paie fort cher la folie d'un instant. Jusqu'à présent, m'a-t-il avoué, il ne sait même pas ce qui l'avait poussé à agir de la sorte ce jour-là; jour où s'écroulèrent, non seulement son bonheur conjugal et familial, mais toute sa vie, tout son univers, et cela en un instant. Il s'agit d'un fait authentique qui illustre assez bien jusqu'à quel point le problème que constitue l'immoralité sexuelle peut constituer un sérieux danger, voire même ruiner le bonheur d'un couple, d'une famille.

Ces dernières années, j'eus l'opportunité de converser avec pas mal de personnes, membres de foyers brisés, surtout des femmes qui se retrouvent maintenant seules avec des enfants délaissés par un parent adultère, infidèle. Récemment, je discutais de ce problème avec un avocat qui s'y connaît et ce dernier m'affirma que neuf cas de divorce sur dix sont dus à l'infidélité conjugale.

Il est vrai que depuis une vingtaine d'années, on constate au sein de notre société un relâchement croissant des bonnes moeurs. On n'a qu'à jeter un coup d'oeil furtif sur les titres des films modernes projetés dans les cinémas, et même sur le petit écran, pour se rendre compte combien est bas le niveau de moralité actuelle des peuples. Le sexe est tellement libre qu'il n'est pas rare de voir des jeunes filles, pas même âgées de quinze ans, se promener avec des pilules anticonceptionnelles dans leur bourse. L'homosexualité est tellement répandue que des chefs religieux se sont modernisés, d'un modernisme peu commun, et sont allés jusqu'au point d'unir religieusement deux hommes ou deux femmes qui désirent vivre ensemble maritalement.

Se livrer à l'infidélité, ou même à l'immoralité sexuelle, c'est comme mettre sa main dans la gueule d'un chien devenu dangereux parce qu'il est enragé. Cette sorte de «jeu» est tellement dangereux qu'on peut aussi le comparer à celui où un petit enfant innocent qui, inconsciemment, prend plaisir à introduire sa main dans le gîte d'une famille de serpents venimeux. Il suffit de constater les tristes résultats résultant de telles lignes de conduite pour se rendre vite compte que l'infidélité conjugale, comme l'immoralité sexuelle sous toutes ses formes, n'ont pas leur place, ni dans le cadre du mariage, ni non plus au sein de la famille.

Abandons du foyer, séparations, divorces, grossesses non désirées, maladies vénériennes, décadence morale, ce ne sont là que quelques-uns des tristes effets découlant de l'infidélité conjugale, ou de l'immoralité sexuelle. A ces graves problèmes, on peut ajouter les nombreux meurtres qui se commettent à la suite de scènes de jalousie, les cas de conjoints déçus, découragés et malheureux qui se réfugient dans le suicide, les nombreux vols et détournements de fonds réalisés par des amants trop avides d'agrandir le cercle de leurs nouvelles conquêtes; sans non plus oublier tous ces enfants malheureux qui, à la suite de l'infidélité d'un père ou d'une mère, sont maintenant condamnés à vivre avec un seul parent, ce qui les prive toujours d'une importante part d'affection parentale dont ils paieront chèrement la note tôt ou tard. Et en plus de cela, si on considère le fardeau fiscal de la communauté des travailleurs qui se fait de plus en plus lourd à cause de toutes ces familles abandonnées qui vivent grâce à l'assistance sociale, on se retrouve donc avec un triste bilan. Et que dire des problèmes psychologiques qui ne manquent pas de surgir un jour ou l'autre, problèmes dus aux foyers brisés. Cela ne servirait à rien de les ajouter à cette liste déjà trop longue.

Peut-on être vraiment heureux quand, délibérément, on triche avec la vie? Car, l'indifélité conjugale comme l'immoralité sexuelle sous toutes ses formes, qu'on le veuille ou non, c'est tricher avec la vie. Il faut comprendre qu'au début, soit au moment où la famille humaine fut formée, il n'entrait pas dans les voies, ni même dans les desseins de l'Auteur de la vie et Instituteur du mariage que les conjoints se livrent, au gré de leurs fantaisies, à l'infidélité conjugale, ni même que leurs enfants, voire eux-mêmes, ne s'adonnent à l'immoralité sous une forme quelconque. «Les deux devront quitter leurs pères et leurs mères, s'attacher l'un à l'autre, et devenir UNE SEULE CHAIR!» Voilà, en résumé, la sorte de formule qu'employa l'auteur de la cellule familiale lorsqu'il unit le premier couple humain.

Dès qu'un conjoint s'adonne au flirt, se permet certaines libertés avec une personne autre que SON conjoint, et va même jusqu'à se livrer à l'infidélité sexuelle, il triche avec les règles élémentaires de la vie. Et, comme on le verra de façon plus approfondie dans une des leçons à suivre, quiconque se complaît à tricher avec la vie ne peut jamais espérer goûter pleinement la moindre parcelle de bonheur. Le bonheur étant très étroitement relié avec tout ce qui est vrai, la conscience personnelle et la totale tranquillité d'esprit, on se fait du tort, et on se nuit à soi-même en trichant avec la vie.

Le bonheur conjugal et la stabilité de la famille sont tous deux en partie basés sur la fidélité des deux conjoints. Comme chaque être humain a absolument besoin de nourriture saine, de repos et de travail pour vivre, chaque famille, elle aussi, a absolument besoin de l'entière fidélité mutuelle des deux parents pour lui assurer son plein épanouissement, son harmonie parfaite, sa sécurité totale et finalement, son bonheur légitime. Toute la maisonnée évolue constamment autour des deux parents. Et ce qui contribue à l'amour, l'harmonie et au bonheur des époux, c'est de vivre avec cette confiance absolue qu'on se témoigne l'un l'autre par une fidélité réciproque. Il ne peut pas en être autrement; car si c'était différent, l'Auteur de l'arrangement conjugal et familial n'aurait certainement pas manqué de nous créer différemment de ce que nous sommes présentement.

18

Qui use trop du liquide n'est jamais solide

Elle avait commencé par assister à une petite réunion d'amies du quartier. La première fois, elle accepta un tout petit verre de boisson alcoolique. Elle n'avait pas l'habitude de boire. Cet après-midi-là, elle trouva très délicieux le verre de cocktail qui lui fut servi. Il y eut de nombreuses autres petites réunions du genre, et à chacune d'elles, on s'appliquait à préparer du cocktail, toujours plus délicieux et de plus en plus fort en teneur d'alcool. Finalement, en compagnie d'une couple d'amies, cette femme contracta l'habitude d'aller dans les bars, et de ce fait elle rentrait de plus en plus tard chez elle. Il est vrai que le mari réagissait fort mal, mais vous savez, la jeune femme se considérait libérée de tout, vu qu'on lui avait si souvent crié, lors des réunions du groupe de femmes dont elle faisait partie, que dans notre monde moderne, l'avenir s'annonçait de plus en plus brillant pour les femmes qui s'efforçaient de se libérer le plus possible de l'autorité d'un mari. Mais un beau jour, Madame entra ivre à la maison. Et le vrai drame, lui, se joua quelques semaines plus tard quand, après s'être fait analyser par son médecin, la jeune et jolie «libérée» constata qu'elle était enceinte, pas de son mari, et ce dernier ne l'ignorait pas lui aussi.

Voilà, le mal était fait. Un mal qui, aux dires de la jeune femme, ne se serait jamais produit si elle avait eu le bon sens de garder toute sa raison. Mais comment peut-on garder sa raison et agir avec bon sens quand on est sous l'influence des boissons alcooliques? La suite de cette histoire vécue s'est déroulée comme toutes les autres histoires qui finissent mal, qui se terminent dans la colère, la jalousie, le drame et le malheur.

L'histoire de cet ouvrier de construction est toute aussi pathétique elle aussi. C'était un habile menuisier. Il fournissait du bon travail et était fort apprécié de tous ses employeurs. Mais un jour, lui aussi mit son doigt dans l'engrenage de la roue du malheur, ceci, sans trop s'en rendre tout à fait compte.

Cet après-midi-là, la température ne permettant pas de travailler à l'extérieur, les chantiers cessèrent de fonctionner. Comme il était beaucoup trop tôt pour se rendre immédiatement à la maison, les amis décidèrent d'un commun accord de s'arrêter dans un bar. Notre ouvrier, lui aussi, décida de faire de même. «Après tout, se dit-il, ce n'est quand même pas grave. Je suis avec des amis et je n'ai pas coutume de m'enivrer.» Et voilà, le doigt était fermement coincé dans l'engrenage. A partir de ce jour-là, cela devint une habitude. Avant de rentrer à la maison, après la dure journée de labeur, tout ce beau et bon monde se retrouvait dans le même bar.

Quand cet ouvrier, ci-dessus mentionné, me raconta ses débuts dans sa triste carrière d'ivrogne, il était loin de s'imaginer que les choses prendraient une telle tournure. Aujourd'hui, l'homme est séparé de sa femme. La boisson alcoolique aidant, il contracta l'habitude de rentrer de plus en plus tard chez lui. Il dépensait presque tout son avoir dans les bars. Et avec la boisson, l'inévitable se produisit. Presque à chaque soir, une histoire de femmes était toujours le point de départ d'une querelle qui n'en finissait plus. Sa femme, manquant des nécessités primordiales, l'abandonna pour aller gagner sa vie et retrouver son équilibre. Lui, se retrouvant seul et désemparé, se mit à boire de plus belle. Il perdit son emploi. Aujourd'hui, il est chômeur, découragé et, comme il me l'a franchement avoué, il est profondément malheureux.

Voici une autre histoire, bien triste celle-là aussi. Durant toute sa vie, le père ne faisait que s'adonner aux boissons alcooliques. Pendant que sa femme se débattait du mieux qu'elle le pouvait avec un nouvel enfant à qui elle donnait le jour chaque année consécutive, lui, il passait tout son temps libre en compagnie d'amis ivrognes. Et le soir, quand Monsieur regagnait son domicile, il faisait des crises de jalousie et menaçait de battre sa femme parce qu'il s'imaginait qu'elle le trompait avec d'autres hommes pendant son absence. Aujourd'hui, cet homme est âgé d'environ soixante-cinq ans; il est seul, abandonné de tous, découragé et triste à en faire pitié. Il est vrai qu'il ne s'adonne plus à la boisson. Mais la raison n'est pas due au fait qu'il se soit amélioré, ou qu'il veuille changer. Non, s'il ne boit plus, c'est plutôt parce que son organisme ne le lui permet plus. Il ne peut plus supporter l'alcool.

Et voici la conclusion de l'histoire. J'ai rencontré cet homme il y a quelques semaines, et au moment où j'écris ces lignes, il songe très sérieusement à mettre fin à ses jours tellement il est rongé par toutes sortes de problèmes qui le harcèlent constamment. Je n'invente rien; c'est lui-même qui m'a fait part de ses intentions après m'avoir raconté le récit de sa vie.

Des histoires d'ivrognes semblables à celles que je viens de citer, je pourrais vous en raconter des dizaines, voire des centaines d'autres. Des histoires toutes aussi tristes et lamentables les unes que les autres. Mais, je m'abstiendrai de le faire car je suis persuadé que des histoires de ce genre, vous devez certainement en connaître vous aussi.

Je suis absolument convaincu que, comme moi, vous devez connaître quelques-unes, ou même plusieurs familles qui sont devenues malheureuses à cause de l'abus des boissons alcooliques. Inutile donc de tourner le fer dans la plaie et vous attrister par ces récits beaucoup trop décourageants.

J'ai beau me creuser la tête et chercher, je n'ai jamais rencontré de familles dont l'un des époux, ou les deux, s'adonnant à la boisson, n'en continuent pas moins d'être heureuses. User trop du liquide, c'est comme diluer avec de l'eau les assises argileuses de la cellule familiale. A force d'être détrempées, ces assises se défont et c'est finalement toute la structure de l'édifice conjugal et familial qui se trouve menacé et souvent s'écroule.

Cette leçon est très brève, mais elle n'en renferme pas moins une leçon de bonheur qui revêt une très grande importance au sein de la cellule familiale. Cette leçon de bonheur peut donc se résumer ainsi, en quelques mots: QUI USE TROP DU LIQUIDE N'EST JAMAIS SOLIDE.

19

Dis-moi
qui tu fréquentes

Oui, «Dis-moi qui tu fréquentes et je te dirai qui tu es!» A cela, on peut encore ajouter ceci: «Dis-moi qui tu fréquentes aujourd'hui, et je te dirai si tu seras heureux en ménage demain!»

Durant toute ma vie, j'ai toujours eu une très grande passion pour les pensées, les proverbes et les maximes. En effet, que de leçons pratiques, et souvent salutaires, nous pouvons tirer d'une pensée, d'un proverbe ou encore d'une maxime. Il s'agit toujours de petites phrases courtes, précises, condensées, qui renferment une très grande leçon de la vie. Mais parmi toutes les pensées, proverbes et maximes que j'ai pu collectionner jusqu'à aujourd'hui, il en est une en particulier que je n'ai jamais oubliée, et elle s'applique fort bien dans le cadre de la vie familiale. «Vivez parmi des gens qui bénissent leur vie, et vous ne tarderez pas à bénir votre propre vie.» Voila une précieuse pensée qui ne manquera pas de se dessiner pleinement tout au long de cette dernière leçon de bonheur concernant spécialement la vie de famille.

Dans les leçons précédentes, nous avons examiné quelques-uns des pires obstacles au bonheur familial. Certes, il existe d'autres obstacles que ceux traités précédemment, mais le désir exagéré d'ambition, l'endettement incontrôlé, l'immoralité sexuelle ou l'infidélité conjugale ainsi que l'ivrognerie sont certainement les quatres plus grands obstacles au bonheur d'une cellule familiale.

Des obstacles tels que l'incompatibilité des caractères, ou certaines mésententes au niveau sexuel peuvent certainement ébranler le bonheur d'un couple, mais jamais de tels obstacles ne peuvent faire autant de ravages, au sein d'une même famille, que ceux examinés dans les leçons précédentes. Dans la grande majorité des cas, la plupart des déchirements conjugaux et familiaux, des séparations et des divorces ou des abandons du foyer sont causés par le désir de combler à tout prix des rêves ambitieux, par l'ivrognerie, l'endettement inconsidéré ou l'infidélité conjugale.

Ces quatre principaux grands obstacles au bonheur conjugal et familial ont, tous les quatre, une étroite relation avec le genre de fréquentations choisies par un mari ou une épouse, un couple, ou encore, par la famille. Et, dépendant des fréquentations choisies, une famille sera bénie et heureuse, ou tout simplement malheureuse.

Un jour, les grands créateurs de la mode, masculine ou féminine, ont compris un fait très important en matière de vêtement. Ils ont compris jusqu'à quel point le désir de se voir accepté par la majorité pouvait être intense dans le coeur de chaque être humain. Ces créateurs de mode ont fait un essai avec la mini-jupe, et à voir toutes ces femmes raccourcir leurs jupes, aux seules fins d'imiter la majorité et de se voir acceptées par les autres, ils n'ont pas tardé à comprendre jusqu'à quel point les possibilités de faire fortune avec la mode pouvaient être illimitées et immenses. Tenant donc le coeur des gens dans le creux de leurs mains, les instigateurs de la mode ont donc commencé à exploiter ce précieux filon sans fin.

Après la mini-jupe, on se mit à rallonger les robes. Et voila qu'instantanément, une marée de femmes se mettent à acheter des robes plus longues, soit les «maxi». On inventa le «blue-jeans», et voilà que presque toute l'humanité se rue sur cette mode. On se mit ensuite à faire une ouverture aux jupes, et voilà que toutes les femmes se bousculent dans les magasins afin d'acheter ces nouvelles jupes à la mode. Dans quelque domaine que ce soit; bagues, colliers, bracelets, coiffure, etc., les créateurs de nouvelles modes s'enrichissent et accumulent des fortunes inimaginables grâce à ce puissant désir qu'éprouvent la plupart des femmes de se voir acceptées par leurs semblables. Il faut être «à la mode». Il faut absolument faire «comme les autres».

Mais n'allez pas croire qu'en matière de mode vestimentaire, les hommes soient à l'abri des nouvelles modes qui apparaissent un jour et qui sont démodées le lendemain. On n'a qu'à regarder de quelle façon les hommes sont devenus esclaves de leurs cravates, larges ou étroites au gré des caprices de la mode, pour réaliser jusqu'à quel point les hommes, eux aussi, peuvent être sensibles à ce désir profond et puissant qui consiste à se faire accepter à tout prix par les autres, par la majorité. Beaucoup d'hommes portent même une boucle d'oreille de nos jours.

Il n'y a pas que les créateurs de modes vestimentaires qui ont compris cette soif insatiable de l'être humain. Les grands géants de l'automobile l'ont, depuis longtemps déjà, compris eux aussi. Dans la plupart des cas, l'acheteur d'une automobile n'achète pas un bien qui lui rendra de précieux services; non, très souvent, ce n'est que poussé par ce désir très profond d'épater les voisins, les amis et les parents que l'acheteur choisira un modèle plutôt qu'un autre, une couleur plutôt qu'une autre. «Si les voisins, les parents et les amis ne m'acceptent pas pour ce que je suis réellement, moi-même, je vais leur éblouir la vue quand ils me verront arriver au volant de Ma belle grosse limousine!»

Il y a aussi les constructeurs de maisons qui ont fort bien compris le puissant désir d'acceptation par ses semblables, désir étant sans cesse en pleine action dans le coeur des gens.

Je me souviens, de cela il y a une trentaine d'années, les constructeurs de maisons mettaient l'accent bien plus sur la qualité de leur produit que sur son apparence extérieure. Mais aujourd'hui, on vend des maisons par catalogue, sans même que les acheteurs ne prennent la peine de les inspecter soigneusement pour voir si la construction est de bonne qualité ou si elle laisse plutôt à désirer. Ce qui compte maintenant, c'est «Viens voir ma

BELLE maison neuve!» Composition du mur de ciment du sous-sol? «Connais pas ça!»

Je me rappelle bien comment mon grand-père, qui faisait le commerce des maisons, s'y prenait pour convaincre un client éventuel de la qualité de son produit. Dès qu'un client se présentait pour visiter une maison, la première chose que mon grand-père faisait, c'était de descendre au sous-sol et de faire constater à son client la robustesse et la qualité des solives d'assemblage. Ensuite, sortant son canif de son gousset, il l'ouvrait et sous l'oeil du client observateur, il l'introduisait dans les solives afin de lui prouver que la fondation était bel et bien saine. C'était là, au sous-sol de la bâtisse, après s'être assuré de la haute qualité des fondations, que le client décidait d'acheter ou non. En ce temps-là, la couleur avait peu d'importance; ce qui était considéré comme sacré, c'était la fondation de la maison.

Le désir d'être accepté et bien vu par les autres est tellement puissant qu'une femme se souciera fort peu si une robe de soirée en particulier lui convient ou pas. Mais ce qui la tracassera le plus, c'est de savoir si «les autres invitées» la remarqueront ou pas; si, par son vêtement, elle éblouira ses amies ou si elle devra se résigner à passer inaperçue. De même, un orateur public se souciera bien plus de l'effet que son complet exercera dans l'esprit de ses auditeurs que de la qualité de son exposé.

J'ai toujours entendu dire que lorsqu'on se met à fréquenter les loups, on ne tarde pas à hurler avec eux. Oui, quand on fréquente des gens dont l'accent est sans cesse mis sur le prestige, le fait d'épater les autres, on ne peut alors faire autrement que de s'aventurer soi-même sur la même voie. Combien de familles sont privées de la présence d'un mari et père dont le seul grand objectif dans la vie consiste à réaliser tous SES projets égoïstes qui lui tiennent à coeur, ceci, au risque d'y sacrifier le bien-être de toute sa maisonnée. Et combien de familles se sont vite retrouvé endettées jusqu'au cou, comme on dit, à cause du profond et intense désir des parents de se faire accepter par d'autres parents, voisins ou amis qui mettent sans cesse l'accent sur les possessions matérielles.

Combien de maris, et même d'épouses, de jeunes gens et d'adolescents ont commencé à s'adonner à l'alcool, à la drogue, ainsi qu'à l'immoralité sexuelle tout simplement parce qu'ils se trouvaient en compagnie de personnes qui ne cessaient de mettre l'accent sur de telles choses.

Bien que le désir d'être remarqué par les autres, de se faire accepter à tout prix par ses semblables, soit intense et bien enraciné en chacun de nous, il est quand même tout à fait possible de se mettre à l'abri des quatre grands obstacles au bonheur conjugal et familial que nous avons examinés dans les leçons précédentes. Pour y parvenir, il suffit de toujours mettre l'accent sur les vraies valeurs de la vie, les «fondations» stables et durables du bonheur conjugal et familial.

Et quelles sont ces vraies valeurs? La fidélité, l'honnêteté et la présence d'un mari. La générosité, l'affection et la tendresse d'une épouse. L'obéissance, le respect et la collaboration des enfants. Quand on mélange tous ces ingrédients ensemble et qu'on se les partage équitablement entre tous les membres d'une famille; et qu'on se complaît dans la fréquentation de gens heureux et intelligents qui savent discerner eux aussi les vraies valeurs de la vie, on ne manque pas alors de figurer, et de se compter parmi ceux qui «bénissent leur vie».

Quatrième partie

LE BONHEUR ET LA VIE

20

L'amour: pierre angulaire du bonheur

La plus belle et la meilleure définition de l'amour qu'il m'ait été donné de lire durant toute ma vie, c'est celle qu'a rédigée l'apôtre Paul à l'intention des premiers chrétiens qui habitaient l'antique ville de Corinthe. Voyez quelle extraordinaire définition Saint Paul, sous inspiration divine, fit de l'amour: «L'amour est longanime et bon, écrivit Paul. L'amour n'est pas jaloux, il ne se vante pas, ne se gonfle pas d'orgueil, ne se conduit pas avec indécence, ne cherche pas son propre intérêt, ne s'irrite pas. Il ne tient pas compte du mal subi. Il ne se réjouit pas de l'injustice, mais se réjouit avec la vérité. Il supporte tout, croit tout, espère tout, endure tout.»

Avant d'arriver à cette parfaite définition de l'amour, le même rédacteur avait pris soin d'expliquer ce qui suit: «Si je parle dans la langue des hommes et des anges, mais que je n'aie pas l'amour, je suis devenu un morceau d'airain qui raisonne ou une cymbale qui retentit. Et si j'ai le don de prophétie, et que je connaisse tous les saints secrets et toute connaissance, et si j'ai toute la foi de manière à transporter des montagnes, mais que je n'aie pas l'amour, je ne suis rien. Et si je donne tout mon avoir pour nourrir autrui, et si je livre mon corps pour me glorifier, mais que je n'aie pas l'amour, cela ne me sert à rien.»

Toujours dans cette même lettre, l'apôtre nous assure que l'«Amour ne passe jamais», et conclut son exposé sur l'amour en nous exhortant par ces deux mots puissants: «Poursuivez l'amour.»

Un jour, passant devant un édifice assez imposant, je me suis arrêté pour contempler la vaste structure. Il était entièrement construit de blocs de béton de même dimension. Les blocs pris individuellement et placés tout simplement les uns contre les autres, et sur les autres, les murs de l'édifice ne se seraient pas avérés tellement solides. Mais étroitement reliés les uns aux autres grâce à un mortier d'excellente qualité, ces mêmes blocs constituaient un tout d'une grande solidité.

Je contemplais ainsi les blocs de béton et je me mis à penser aux quelque quatre milliards d'êtres humains composant l'humanité. Chaque être humain peut être comparé à un «bloc» de qualité, un bloc intelligent, doué des facultés de penser, de raisonner et d'agir. Un bloc qui, lorsqu'étant relié aux autres «blocs» humains, devient une partie précieuse d'un édifice imposant, la famille humaine.

On peut donc comparer l'humanité à un édifice imposant. Un édifice fait de quatre milliards de «blocs humains». Mais pour que l'édifice humain soit harmonieux, que ses lignes soient équilibrées et qu'il soit assez solide pour être en mesure de résister aux vents violents des intempéries de la vie, il importe que tous les «blocs» soient reliés les uns aux autres avec un mortier de bonne qualité; autrement, le tout ne manquerait pas de s'écrouler au moindre tremblement de terre. Et le précieux mortier qui relie les «blocs humains» les uns aux autres, c'est l'amour. Comme l'a si bien défini le même apôtre mentionné plus haut, dans une autre de ses lettres inspirées, l'amour est donc un PARFAIT LIEN D'UNION.

Heureusement que notre sage Créateur a pris soin de nous créer avec cette précieuse faculté qu'est l'amour; car autrement, aucune espèce d'évolution ou relation humaine ne serait possible sur cette terre. En effet, c'est grâce à l'amour qu'un beau jour, deux êtres décident de s'unir par les liens sacrés du mariage, de transmettre la vie à un petit être de chair, et de prendre en main les destinées de cet être jusqu'à ce qu'à son tour, il décide, lui aussi, de transmettre la vie à un nouvel être. C'est aussi grâce à l'amour que bien qu'étant tous des créatures imparfaites, nous trouvons quand même le moyen de nous entendre, nous comprendre et nous pardonner à longueur de journée nos nombreux manquements et erreurs. En somme, c'est grâce à ce «parfait lien d'union», ce précieux «mortier de la vie» qu'est l'amour, que la vie peut continuer sur la terre.

Toute la création qui nous entoure ne cesse de nous donner des leçons d'amour: la végétation qui nous fournit sans cesse notre nourriture quotidienne, les animaux dont la chair nous nourrit et leur peau qui nous revêt, les oiseaux qui réchauffent nos coeurs par une belle journée de printemps, le soleil qui nous dégourdit grâce à ses chauds rayons attirants; la neige qui tombe doucement et contribue à nos nombreuses distractions hivernales, l'oxygène qui se renouvelle constamment et nous assure une respiration continue; le bois qui nous abrite, nous réchauffe et nous procure le précieux papier pour nos écrits. Oui, elles sont infinies les merveilleuses leçons d'amour que ne cesse de nous enseigner le vaste univers qui nous entoure. Tout ce qui évolue autour de nous respire l'amour.

Comme on vient au monde avec des possibilités de croissance et de développement physique, on vient aussi au monde avec la possibilité de développer notre faculté d'aimer. L'amour, comme tout autre fruit alimentaire, se cultive et s'exerce continuellement. L'amour se cultive à l'infini; à un tel point que le même apôtre, Paul, qui écrivit à ce sujet, expliqua que le don des langues et de la connaissance passera, mais pour ce qui est de l'amour, il ne «passera jamais». Paul prit même le soin d'expliquer que de la foi, l'espérance et l'amour, c'est, des trois, l'amour qui était de loin le plus grand. Si l'amour est le plus grand don, c'est donc qu'il peut se cultiver à l'infini chez l'être humain.

Pour être heureux, pleinement heureux; heureux et satisfait de chaque instant de sa vie; heureux et toujours joyeux de jouir pleinement de la compagnie de tous ceux qui nous entourent, il faut cultiver l'amour. Sans le précieux fruit de l'amour, il est impossible de vivre en paix avec ses proches, ses semblables, sans s'irriter de leurs innombrables bêtises. Et ce qui nous est convenable convient aussi aux autres. Sans l'amour, il est impossible d'exercer le contentement de soi, des autres et de sa vie à soi. En somme, sans l'amour, toute espèce de bonheur semble bien impossible.

Et comment peut-on cultiver l'amour? On le cultive en s'arrêtant de temps à autre afin de se mettre à l'écoute de la vie. Etant donné les nombreuses leçons d'amour que nous transmet la vie à chaque instant qui passe, on ne peut donc avoir de meilleur maître pour nous enseigner la plus précieuse leçon de vie qui soit. On cultive aussi l'amour en se reliant étroitement à la plus grande Source d'amour de l'univers, notre Créateur. «Pourquoi le monde est sans amour?», nous chante une chanteuse connue. Le monde est sans amour parce qu'il est sans la connaissance exacte de Dieu, et sans un directeur infaillible de conscience. On cultive encore l'amour en se complaisant dans la compagnie de gens et de livres qui respirent l'optimisme, l'enthousiasme, la confiance, le contentement et le bonheur.

L'amour, c'est le plus grand et le plus parfait lien d'union. L'amour, c'est ce qui nous permet de voir du rose là où les êtres négatifs et méchants voient du noir. L'amour est comme le vent: il souffle sans cesse; il vient, il va, on ne peut le saisir; mais il est toujours là, partout à la fois et jamais nulle part. L'amour est comme le soleil; quand il est là, on ne s'en plaint pas, mais quand il est absent, on ne tarde pas à s'en rendre compte.

L'amour est la base de la foi, de la vie et de l'éternité. C'est l'amour qui éveille la confiance; c'est lui qui rend possible la pleine réalisation de la vie et c'est aussi sur sa base si une éternité de bonheur et de paix est désormais réservée à tous ceux qui ne cessent de s'approcher de la grande Source de l'amour parfait. En somme, l'amour, c'est une fournaise qui brûle les laideurs et les défauts de l'humanité. Oui, l'amour est la précieuse pierre angulaire sur laquelle peut être solidement érigé le bonheur, le vrai bonheur. Et, en fait, avoir quelqu'un à aimer, n'est-ce pas ce qui stimule la vie tout entière?

21

La foi: la véritable clé du bonheur

Si l'amour est comparé au mortier qui peut unir les quatre milliards d'êtres humains afin d'en faire un édifice fort imposant et solide, la foi, elle, peut se comparer à la clé donnant accès à ce même édifice. En effet, la foi serait une sorte de clé qui permet de s'impliquer à fond dans la vie, qui permet d'ouvrir les portes de l'assurance, de la tranquillité d'esprit, de soi-même et des autres, de la sérénité, de la joie de vivre et du bonheur.

La foi, c'est ce qui fait toute la différence entre le doute, l'incertitude et la confiance. La foi, c'est ce qui fait toute la différence entre l'agitation et le calme. La foi, c'est aussi toute la différence entre le fait de passer toute une nuit blanche et le fait de connaître un sommeil doux et reposant. Oui, la foi; voilà ce «quelque chose» qu'on ne peut saisir ni palper, mais un atout très précieux qui fait toute la différence entre le fait de vivre vraiment ou patauger dans l'existence.

La foi, c'est la certitude que des réalités, qu'on ne voit pourtant pas, sont là et pas ailleurs. Il y a deux sortes de foi: la foi consciente et la foi inconsciente. De nos jours, il semble bien que seule la foi

217

inconsciente soit toujours active et vivante. En ce qui concerne l'autre sorte de foi, la consciente, la plus forte, elle ne courre pas les rues, elle.

L'oiseau qui, pour la première fois, s'envole vers le Sud à l'automne, pose un acte de foi, car il a l'assurance qu'il y a un Sud sans ne l'avoir jamais vu. Mais dans son cas, il s'agit d'un acte posé de foi inconsciente. La famille qui part en vacances dans une autre ville pose un acte de foi. Elle a l'assurance que la ville est toujours là bien que n'y étant pas allée depuis fort longtemps. Mais il s'agit là d'un acte de foi inconsciente. Le jardinier qui, le printemps venu, prépare la terre et sème des graines de semence, pose un acte de foi, car il a confiance que les graines se développeront et produiront des fruits lors de la saison de la récolte. Mais dans son cas, lui aussi, il s'agit d'un acte de foi inconsciente. Le voyageur qui monte dans l'avion pose un acte de foi, mais un acte de foi inconsciente. Le jeune couple qui se marie pose un acte de foi, a la foi que tout ira bien. Mais là aussi, il s'agit d'un acte de foi inconsciente.

Ainsi, à chaque jour de notre vie, nous posons d'innombrables actes de foi inconsciente. Se coucher le soir avec la confiance de se réveiller toujours vivant le lendemain matin; voilà encore un acte de foi inconsciente. Travailler et avoir confiance de recevoir un salaire après le travail accompli. Encore un acte de foi qui est posé, mais de foi inconsciente. Avoir confiance que le soleil ne quittera pas son orbite et ne viendra pas heurter notre planète et ainsi la détruire. Il s'agit bel et bien d'un acte de foi, mais de foi inconsciente. Pour un instant, pensez à toutes sortes de petits gestes que vous posez tout au long du jour et vous serez étonné de voir jusqu'à quel point la plupart des activités de notre vie ont un rapport très étroit avec la foi. On agit parce que, inconsciemment, on a confiance que quelque chose de positif va se réaliser.

Que de projets sont ainsi réalisés grâce à l'application de la foi inconsciente! C'est cette sorte de foi qui anime la roue de la vie sur la terre. C'est cette sorte de foi inconsciente qu'on nomme «instinct» chez les animaux. Car eux aussi, les animaux, posent toutes sortes de gestes qui ont un rapport très étroit avec la foi inconsciente, foi appelée «instinct» chez eux.

Lorsque Jésus était sur la terre et qu'il a parlé de cette foi grosse comme un grain de moutarde qui pourrait permettre à l'individu qui la possède de transporter des montagnes, il ne devait certainement pas parler de la foi inconsciente. Car, dans ce temps-là tout comme aujourd'hui, la plupart des gestes posés par les gens d'alors étaient tous basés sur une foi inconsciente. Donc, ce n'est certainement pas à partir de l'observation des actes quotidiens que posaient les êtres de son temps que Jésus s'est soudainement senti inspiré au point de relier la foi, un grain de moutarde et des montagnes. Non, la sorte de foi dont parlait le Messie était la foi CONSCIENTE. C'est cette sorte de foi, la consciente, qui est pourtant la plus forte, qui permet à ceux qui la possèdent de transporter des montagnes, qui est cependant la plus rare de nos jours.

Qu'est-ce que la foi consciente? La foi consciente, c'est la foi qui est étroitement reliée avec les réalités harmonieuses qui régissent les lois fondamentales de la vie. Cette sorte de foi n'a aucun rapport avec l'instinct des animaux ou les nombreux actes de foi inconsciente que nous posons quotidiennement dans les activités courantes de notre vie. On ne vient pas au monde avec la foi consciente, il faut que cette foi soit justement éduquée à partir des réalités fondamentales de la vie. La foi inconsciente peut facilement se transmettre de pères en fils à partir de l'imitation par les enfants des actes quotidiens qu'ils voient leurs parents poser. Dans tous les pays du monde, les enfants n'éprouvent aucune difficulté à adopter très vite cette sorte de foi dans leur vie de chaque instant.

De la foi consciente, la plus puissante, peut-on dire qu'elle est toujours fondée sur les réalités vraies de la vie? Par exemple, on contemple l'univers inanimé, on regarde les mouvements précis du soleil, de la terre, de la lune, des marées, ainsi que des milliards de galaxies qui nous entourent, et à la suite de cette contemplation intelligente, raisonnée et réfléchie, on ne peut faire autrement qu'en arriver à une seule conclusion logique: «Oui, Dieu existe! Non, Dieu n'est pas mort! Certes, il faut obligatoirement qu'il y ait un Etre intelligent et tout-puissant pour présider à toutes ces merveilles grandioses de l'univers!» Voilà de quelle manière on cultive la foi consciente. On acquiert l'absolue certitude qu'il y a un Dieu intelligent parce que, consciemment, on a pris le temps d'observer, de réfléchir, de méditer. La foi consciente, bien que nous faisant admettre des réalités qui ne se voient pas, est toujours, cependant, fondée à partir de réalités qui se voient.

Donc, pour cultiver la foi consciente, il faut d'abord penser, puis réfléchir, et ensuite, tirer les conclusions logiques qui ne deviennent pas autrement que bien évidentes. J'ai très souvent rencontré des gens qui ont déclaré qu'ils ne croyaient pas en l'existence de Dieu. Je leur ai demandé s'ils croyaient que la montre que je portais au bras, ou que la maison que je leur pointais du doigt s'étaient faits tout seuls. «Impossible!», d'admettre ces mêmes personnes. Et ainsi, je n'avais pas trop de difficulté à leur faire accepter le fait que s'ils voyaient une montre-bracelet, c'est une preuve qu'il doit y avoir des fabricants de montres, bien qu'on ne les voit pas, ces fabricants. De même, ces mêmes personnes n'avaient aucune difficulté à croire qu'à l'origine d'une maison, il y avait des menuisiers. Ainsi, à force de penser, de raisonner, ces mêmes gens ne pouvaient faire autrement qu'en arriver à la seule conclusion logique qui s'imposait: des ouvriers intelligents ont effectivement usé de leur intelligence afin de construire une maison.

Il y a de plus en plus de personnes, et elles se font très nombreuses à notre époque, qui pensent que tout dans l'univers est le résultat d'un accident, d'une évolution inconsciente; que tout ne tient que du hasard. Eh bien, si tout ne tient que du hasard, j'en ai une bonne à vous raconter. Je tiens à vous dire que ce livre que vous tenez entre vos mains est le résultat d'un accident, du hasard. Il y a quelques mois, une formidable explosion s'est produite dans l'atelier de mon imprimeur et comme ça, tout à fait par hasard, des lettres qui se trouvaient quelque part dans l'imprimerie se sont rassemblées ensemble pour former des mots. Ensuite, un baril d'encre noire qui se trouvait quelqu'autre part s'est répandue sur les rouleaux de papiers qui se trouvaient là, tout à fait par hasard. Puis, encore par hasard, des presses se sont mises en marche, des couteaux ont coupé du papier. Et voilà le résultat de cette explosion: ce livre que vous tenez entre vos mains.

Non, pour produire ce livre, il a fallu de longues heures de travail assidu et concentré pour aligner des mots, coucher des idées et ainsi faire des chapitres qui se relient à un thème principal. Il a fallu aussi le concours d'habiles dessinateurs pour élaborer la maquette de la couverture. Encore, il a fallu le patient travail de dactylographes qui ont composé les épreuves, plus l'habileté d'imprimeurs qui exerçaient un entier contrôle sur leurs presses. Et pourtant, bien que ce livre ait nécessité le concours de toute une équipe réfléchie et habile, qu'est-ce qu'un livre par rapport au cerveau humain? Qu'est-ce qu'un livre comparé à l'oeil humain? Qu'est-ce qu'un livre comparé à la délicate composition de l'oxygène que nous respirons? Qu'est-ce qu'un livre comparé au soleil, à notre prodigieux système solaire? Si ce livre a nécessité le concours d'une somme d'intelligence humaine, imaginez quelle prodigieuse intelligence il a fallu développer pour élaborer le prestigieux cerveau humain, l'oeil, notre oxygène, notre système solaire ainsi que les milliards de galaxies qui composent le très vaste univers. Si croire en l'existence d'un Etre intelligent, conscient, infiniment puissant est difficile, ne pas croire est tout simplement impossible.

N'allez pas penser que j'aie l'intention de vous donner un cours de religion. Non, là n'est pas mon intention ni l'objectif que je vise. Si je parle de l'importance d'acquérir une foi totale et CONSCIENTE que Dieu existe bel et bien, qu'IL est conscient, et qu'en somme, IL ne cesse de veiller sur nous, les humains, c'est tout simplement parce que sans l'acquisition de cette foi consciente, il est tout simplement impossible de connaître le vrai bonheur. La vraie foi consciente et le vrai bonheur sont indissolubles.

Quand on acquiert la foi consciente que Dieu existe vraiment, et qu'on constate enfin des traces de son amour, de sa bonté, de sa patience, de sa longanimité, de sa sagesse, de sa toute-puissance partout à travers son oeuvre créatrice; et quand, enfin, on considère le fait qu'IL ait créé l'être humain à sa ressemblance et à son image, on ne peut plus alors être malheureux. Toute notre vie devient vite conditionnée par cette foi consciente, vivante et active, et de ce fait, on ne peut faire autrement que de s'appliquer à ajuster le déroulement de notre vie aux voies de cet Etre qui nous a créés sur la terre pour un but précis; qui veille sur nous avec bienveillance et qui nous a préparé un avenir éternel en parfaite harmonie avec le sens inné de la vie dont nous sommes dotés.

Voilà le genre de foi consciente dont parlait Jésus quand il mentionna que quiconque avait de la foi de la grosseur d'un grain de moutarde pourrait avoir le pouvoir de transporter les montagnes. Oui, à chaque fois que nous sommes les victimes d'une injustice, à chaque fois que nous subissons une perte malencontreuse, à chaque fois que nous sommes confrontés avec la maladie, une infirmité quelconque, la perte d'un être cher, ou quelque autre circonstance malheureuse que nous subissons, ce sont là autant d'obstacles qui, comparés à notre petitesse, deviennent très vite autant de montagnes à nos yeux. Des montagnes qui nous porteraient vite au découragement, au désespoir, et au malheur si nous n'avions cette profonde conviction qu'un Etre suprême existe; et si nous n'avions une entière confiance que cet Etre-là est toujours disposé à nous venir en aide, à nous fortifier au point que notre fardeau devienne de plus en plus supportable au fur et à mesure qu'IL nous communique une toute petite parcelle de sa prodigieuse énergie.

La mère qui donne naissance à un enfant, l'ouvrier qui construit une maison, l'oiseau qui s'envole, le cultivateur qui récolte le blé, la terre qui tourne sans arrêt, ce sont là autant d'occasions d'observer la nette transparence de Dieu à travers ces choses et ces gestes qui nous sont si familiers. Voir la preuve de l'existence de Dieu à travers tout ce qui nous entoure, c'est cultiver et exercer la foi consciente. La foi consciente est comme un muscle. Avec l'exercice elle se fortifie, s'affirme; mais sans exercice, elle s'atrophie au point de disparaître complètement.

22

Le temps est l'étoffe de la vie; ne le gaspillez pas

Tuer le temps est un acte suicidaire. A chaque fois qu'on tue une minute, c'est une minute de moins à vivre. Le temps coule, file, sans jamais s'arrêter, et quand on prétend le tuer, c'est finalement lui qui nous tue à petit feu.

Je n'ai jamais pu comprendre comment il était possible pour nombre de gens, à notre époque, de gaspiller autant de temps précieux alors qu'il y a tant de projets captivants à réaliser de nos jours. Nous avons le privilège de profiter d'une somme incalculable d'expérience qui nous a été léguée par tous ceux qui ont vécu avant nous, soit depuis le commencement du monde, et qu'est-ce que beaucoup de gens trouvent le moyen de faire de nos jours? Tuer le temps en passant presque toutes leurs soirées écrasés devant leur appareil de télévision à voir défiler les sottises de la famille humaine.

Dernièrement, alors que j'avais à faire dans un important centre d'achats, mon étonnement fut à son comble quand je vis des dizaines de jeunes gens, en plein après-midi, et sur semaine, assis ici et là sur les bancs du centre, en train de griller cigarette après cigarette. Comme je passais auprès de certains individus, j'entendais quelques-uns qui se plaignaient à cause du manque d'emploi, et d'autres qui critiquaient tous les gouvernements du monde. D'après eux, c'était exclusivement la faute des autres, surtout des dirigeants, s'il n'y avait pas plus d'emplois de disponibles. Ces jeunes gens étaient étendus là à ne rien faire, découragés et malheureux de leur triste sort.

Connaissez-vous l'histoire de ce jeune fils prodigue qui, un beau jour, insista auprès de son père riche pour que celui-ci lui remette immédiatement la part d'héritage qui lui revenait? Devant son insistance, son père lui remit donc sa part et tout heureux, les poches bourrées d'argent, le jeune homme s'en est allé faire la grosse noce avec les noceurs de la ville. Mais au bout de quelque temps, le jeune prodigue, ayant dilapidé tout son avoir, se trouva obligé d'aller prendre ses repas avec les porcs. Il se retrouva sans aucune ressource, sans aucun moyen de subsistance, forcé de partager les restes alimentaires avec des porcs.

Heureusement, l'histoire de ce jeune fils prodigue s'est bien terminée. Grâce à la grande compassion de son père, il a pu reprendre sa place au sein de sa famille et retrouver sa dignité humaine. Mais l'histoire de la plupart de ceux qui dilapident le temps ne se termine pas toujours aussi bien. Non, car très souvent, on voit des personnes qui, ayant gaspillé les plus belles années de leur vie, se retrouvent un beau jour, à l'automne de la vie, sans ressources et découragées par la rapidité de la vie. Découragées de réaliser jusqu'à quel point le temps qui leur avait été alloué s'était écoulé rapidement. En effet, quand on gaspille le temps, les années sont peut-être longues mais la vie, elle, est très courte.

Chaque être humain fait son entrée dans ce monde avec un bagage de capitaux qui peuvent varier d'un individu à un autre. C'est ainsi que certains peuvent être dotés d'un meilleur capital-santé que d'autres, de plus grandes possibilités en ressources financières que d'autres; tels ceux qui naissent au sein d'un foyer très à l'aise financièrement par exemple.

Aussi, il en est d'autres qui peuvent venir au monde avec un meilleur capital-intelligence que d'autres. Certes, nous venons au monde avec toutes sortes de capitaux divers qui peuvent varier d'un être à l'autre. Cependant, il est un genre de capital dont chacun de nous est doté de façon équitable dès notre venue au monde, dès notre naissance. Ce capital équitable, c'est le temps. Bien que la vie de certains soit plus longue que celle d'autres personnes, le temps, lui, est absolument identique pour chacun. Un dollar est toujours un dollar, qu'on en ait dix ou cent. Et une minute de vie est toujours une minute pour tout le monde, qu'on vive durant cinquante ans ou cent ans. Ce qui compte dans la vie, ce n'est pas la longueur de la vie mais la façon dont chaque année ou moment de la vie est employé. Le plus important n'est pas d'ajouter des années à la vie, mais de la vie aux années.

Goethe a écrit ceci: «Quoi que tu rêves d'entreprendre, COMMENCE-LE. L'audace a du génie, du pouvoir, de la magie.» Oui, dant toute chose, ce qui importe d'abord, c'est de commencer. Tant et aussi longtemps qu'on se plaint, qu'on critique les autres à propos de nos malheurs, on ressemble à un cheval qui, plutôt que d'avancer, perd tout son temps à ruer entre les brancards. Mais dès l'instant où on se décide finalement, et qu'on commence quelque chose, le reste suit de lui-même comme par enchantement. Et, comme on dit, tout travail déjà commencé est à moitié terminé.

Quelqu'un a déjà écrit que le travail éloignait de nous trois grands maux: le besoin, l'ennui et le vice. Etre occupé à faire quelque chose d'utile, de constructif, voilà ce qui prévient bien des ennuis inutiles. Avez-vous déjà remarqué que la plupart des gens qui pratiquent un hold-up, qui s'adonnent à la violence, au crime ou à la drogue sont des individus qui sont presque toujours oisifs? Il est très rare qu'une personne occupée s'adonne au crime ou à la débauche. Les grands ennuis commencent toujours quand les heures de travail prennent fin. Voilà une autre grande réalité de la vie qu'il ne faut jamais oublier.

Pour la plupart parmi nous, qui sont de condition modeste et des êtres bien ordinaires, le temps est, bien souvent, le seul vrai capital qui nous est réellement propre. A chaque fois qu'on prétend tuer une minute de ce précieux temps, on ne fait pas autrement que se suicider à petites doses. On n'en ressent peut-être pas les effets tout de suite, mais un beau jour, on se réveille enfin, on regarde derrière soi, et qu'est-ce qu'on constate avec effroi? Une vie vide de sens. C'est la raison pour laquelle tant de gens, une fois arrivés au soir de leur vie, ne cessent de répéter à leurs enfants qu'à leurs yeux, selon eux, la vie n'a pas de sens. Il est bien certain que la vie n'a pas de sens pour tous ces gens dont la seule véritable occupation dans la vie fut de dilapider le seul vrai capital dont ils disposaient, le temps.

Dans les conditions actuelles de vie que nous connaissons, bien que l'étendue du temps soit infinie, son usage est très limité. La maladie, la vieillesse et la mort n'épargnant personne, en ce monde, gaspiller le temps est l'une des pires folies qu'un être humain puisse commettre. Par contre, bien que l'usage du temps soit très limité, c'est incroyable de voir tout ce qu'un être humain, économe de son temps, peut réaliser au cours de sa vie.

Taxer l'oisiveté, voilà qui mettrait très vite fin au gaspillage d'énergie humaine, lequel se pratique sur une très grande échelle à notre époque.

23

Fixez-vous des buts valables dans la vie

On parcourt le monde entier à la recherche du bonheur pour finalement le trouver sur le seuil de sa porte en rentrant chez soi. Et à quoi sert de réussir dans tout ce qu'on a fait, si on manque le bonheur par tout ce qu'on n'a pas fait?

On vient au monde nu, on fait des études, on nous dit d'être ambitieux, de faire de grands projets d'avenir, et une fois arrivé à une certaine période de la vie, on marque un temps d'arrêt, on comtemple ses richesses, on examine sa vie, et on se dit: «Mais où suis-je donc rendu? Comment se fait-il que bien que j'aie réalisé tous mes grands objectifs, j'ai manqué le bateau du bonheur? Comment se fait-il que j'aie le sentiment que ma vie soit vide de sens?» Oui, à vingt ans, on affirme ses objectifs, on veut à tout prix conquérir le monde; et à trente ans, en bonne voie d'accumulation de réussites après succès, on commence tout à coup à douter; mais à quarante ans, c'est le drame; ce n'est qu'une fois arrivé à ce stade de la vie qu'on commence enfin à réaliser qu'on ne sait absolument rien, et que souvent, on est malheureux.

J'ai interviewé au moins dix personnes qui, une fois arrivées au faîte de la réussite, m'ont avoué avoir réussi à atteindre les objectifs fixés à l'âge de l'adolescence. Certaines avaient le grand désir de se faire un nom dans le monde de la politique, et elles y sont parvenues. D'autres, c'était le monde des affaires qu'elles envisageaient de conquérir, et elles y sont parvenues. D'autres encore, pour elles, les buts visés se trouvaient dans l'accumulation d'une fortune confortable, de biens en abondance; et elles aussi, ont réussi à atteindre leurs objectifs.

Mais après avoir posé des questions précises à ces mêmes personnes au sujet de leur bonheur actuel, au moins huit parmi elles m'ont avoué en toute liberté et franchise que dans leurs cas précis, elles avaient été obligées de sacrifier des valeurs, dont elles n'avaient aucune conscience à l'époque, afin d'atteindre leurs objectifs. Ces huit personnes, il est vrai, se retrouvaient maintenant à la tête des objectifs qu'elles s'étaient fixés; par contre, dans quelques cas, un conjoint avait dû être sacrifié, et dans d'autres, ce sont les enfants qui avaient dû souffrir de l'absence d'un père ambitieux; et pour d'autres encore, c'est la santé qui dû être sacrifiée, sacrifiée à un point tel qu'au moment où je rédige ces lignes, au moins deux de ces personnes interviewées sont récemment décédées subitement. Le coeur a flanché alors que ces «glorieux vainqueurs» n'avaient même pas eu le temps de profiter un tant soit peu de leurs innombrables possessions.

Il est bien certain que sans buts à atteindre, la vie serait bien monotone et souvent vide de piquant. C'est souvent grâce aux objectifs qu'on se fixe sérieusement qu'il nous est possible de réussir dans un domaine quelconque. Un apprenti-musicien pourra enfin devenir un excellent musicien, ceci, grâce aux objectifs précis qu'il se sera fixés. Un apprenti-sportif pourra enfin devenir un as dans sa formation grâce aux objectifs fixés. Une personne obèse retrouvera la sveltesse de ses vingt ans grâce aux objectifs qu'elle se sera fixés. Ainsi, dans de nombreux domaines, c'est grâce au fait de s'être fixé des objectifs qu'il devient possible d'atteindre enfin les but escomptés. Sans objectifs précis à atteindre, oui, notre vie serait bien monotone.

Mais pour éviter de se retrouver un beau jour avec une vie encore bien plus vide de sens sur les bras, il faut absolument que les buts ou objectifs fixés soient compatibles avec les réalités fondamentales de la vie. Se fixer comme objectif de devenir millionnaire à tout prix, au risque d'y sacrifier n'importe quelles valeurs pour y parvenir, ce n'est certainement pas là un objectif valable, réaliste ou adapté aux réalités fondamentales de la vie; réalités qui peuvent, à l'automne de la vie de son possesseur, le rendre parfaitement heureux et à l'abri des innombrables vicissitudes de cette vie. Non, car même si une personne possède un million de dollars bien en main, ce n'est quand même pas le fait de posséder tout cet argent qui la rendra meilleure, qui la fera aimée et acceptée, appréciée des siens, de tous ses semblables. Dans quelque domaine que ce soit, ce n'est pas le fait d'avoir enfin atteint tous ses objectifs personnels qui rendra une personne meilleure ou qui la fera davantage aimée, acceptée et appréciée des autres une fois qu'elle aura finalement bien plus besoin de chaleur humaine, d'affection, de compréhension et de compassion que toutes les plus grandes richesses accumulées, ou tout le prestige du monde réuni sous un même toit.

Et quels sont, pour un être humain, les objectifs valables et compatibles avec les réalités de la vie qu'il importe de poursuivre, qu'il importe de saisir afin de s'assurer une vie de bonheur à tout moment de la vie? A part du fait de tendre sans cesse vers l'amélioration de soi-même, de grandir constamment dans l'amour désintéressé et de faire preuve de compréhension à l'égard d'autrui, les objectifs fondamentaux de tout être humain sont forts limités. Certes, le nombre des objectifs secondaires de la vie peuvent se multiplier jusqu'à un nombre indéfini, mais pour ce qui est des objectifs fondamentaux, importants et vitaux, ils se définissent, eux, en nombre fort limité.

Ces buts ou objectifs importants de la vie peuvent donc se définir ainsi: premièrement, vivre en paix et en harmonie avec Dieu, l'auteur de nos jours et de notre vie. Cet objectif apparaît, à mes yeux, comme étant le principal et le plus important de tous. Car sans une notion bien précise de Dieu, du bien, du mal; et sans une exacte compréhension de l'exacte volonté divine à notre égard, la vie de l'être humain m'apparaîtrait bien éphémère. Et quand on contemple la nature même de l'être que nous sommes, on ne peut faire autrement que d'en arriver à la conclusion logique que quelqu'un, et ce quelqu'un c'est Dieu, a certainement dû nous créer pour un but bien plus grand, bien plus glorieux et de bien plus longue durée que ce que nous connaissons aujourd'hui. Alors, faisant donc partie du plan éternel élaboré par l'auteur sage et intelligent de nos jours, il importe donc, afin de s'assurer pleinement qu'on fasse toujours partie intégrante de ce glorieux dessein divin, qu'on ait, comme premier objectif, principal et fondamental, de rechercher vraiment quelle est la volonté divine à notre égard, ceci afin de s'y harmoniser pleinement.

Notre deuxième grand objectif fondamental de la vie doit se situer au niveau d'une des réalités des plus importantes de notre monde: la vie de famille. Si Dieu ne nous avait donné que la mission de transmettre la vie, IL n'aurait pas prix soin de nous doter des merveilleuses qualités que nous possédons, soit celles qui consistent à penser, réfléchir, raisonner, méditer, emmagasiner des connaissances, acquérir des expériences, tirer des conclusions, prendre des décisions, etc. Non, Dieu n'aurait pas eu besoin de nous doter de telles qualités majestueuses. Les animaux ne sont pas du tout dotés de ces facultés et ils sont tout autant efficaces que nous en ce qui a trait à la transmission de la vie. Mais ces qualités importantes, nous les avons reçues aux fins de toujours nous acquitter de cette importante mission que celle consistant à sans cesse former de nouveaux êtres qui ne cesseront de refléter parfaitement les attributs de l'auteur de la vie.

S'occuper de doter d'une excellente formation tous les membres qui naissent et qui évoluent au sein de notre famille, toujours donner le bon exemple, produire des êtres mentalement sains, s'assurer que chaque membre de la famille, y compris soi-même, ne cesse de s'améliorer, de développer une personnalité qui soit harmonieuse et équilibrée, ceci, dans les domaines de la spiritualité, de l'émotivité, sans non plus oublier tous les autres aspects de la personnalité. Donc, viser à l'amélioration de soi-même et à celle de tous les membres de la famille, voilà ce qui doit compter comme second grand objectif fondamental de la vie humaine.

Et le troisième et grand objectif fondamental de la vie doit obligatoirement tendre vers l'amélioration constante des relations humaines qu'on entretient avec nos semblables, le reste de l'humanité. Tendre vers la fidélité, la cordialité, le sens des responsabilités, l'honnêteté; être laborieux, studieux et appliqué; se montrer charitable, coopérateur, chaleureux, abordable et compréhensif envers les autres, voilà comment peut se définir le troisième grand objectif fondamental de tout être.

Premièrement, rechercher avec assiduité l'amélioration constante de ses bonnes relations avec Dieu. Deuxièmement, travailler à l'amélioration de soi-même ainsi que celle de tous les membres qui naissent et évoluent au sein de notre famille immédiate. Et troisièmement, sans cesse améliorer les étroits liens qui nous relient les uns aux autres, soit avec le reste de la grande famille humaine. Et, bien entendu, en surcroît, peuvent s'ajouter, à ces trois grands objectifs fondamentaux de la vie, de nombreux autres petits objectifs; mais des buts qui devront toujours être consciemment considérés tels qu'ils sont vraiment: des objectifs secondaires.

Salomon n'a-t-il pas écrit dans son récit inspiré que
«Mieux vaut un nom que la bonne huile».

24

Quand on marche plus, tout marche bien mieux

Cet après-midi-là, alors que j'étais assis devant ma machine à écrire pour rédiger la présente leçon, je me trouvais comme bloqué mentalement. Je ne sais pas pourquoi, mais il me semble que les idées ne me venaient plus. J'abandonnai donc tout travail et me mis soudainement à contempler les rayons du soleil qui se dessinaient clairement à travers la vitre de la porte qui sépare la pièce dans laquelle je me trouvais, de l'extérieur. Ne pouvant résister plus longtemps à la chaude invitation de ce magnifique soleil printanier qui semblait m'ouvrir tout grand ses bras chaleureux, je me levai donc de ma chaise et sortis sur le balcon. Et là, me tenant bien droit debout, je respirai à pleins poumons l'air pur et frais qui me frappait en plein visage. Et tout en respirant le plus profondément possible, j'écoutais le magnifique chant de cette centaine d'oiseaux qui étaient là tout près, sur les branches de l'arbre de mon voisin; un magnifique chant qui me paraissait comme une mélodie accueillante spécialement adressée au nouveau printemps qui venait tout juste de s'installer dans nos cours et dans nos coeurs.

Je restai au moins une quinzaine de minutes ainsi, sans bouger, respirant à satiété une bonne portion de cet air pur qui me fouettait le visage, à écouter la douce mélodie des oiseaux, et aussi, à me remplir les yeux de la vision du glorieux soleil printanier qui s'imposait majestueusement dans le superbe ciel bleu. Au bout d'une quinzaine de minutes, donc, je rentrai à l'intérieur, m'attablai pour mon travail discontinué, et ainsi, d'un seul trait, je trouvai assez de vigueur pour rédiger enfin cette présente leçon du bonheur. D'un seul coup, en l'espace de quelques minutes, il me semblait avoir rajeuni de dix ans. Ainsi, j'avais pu, en l'espace de quelques minutes seulement, goûter un nouveau petit bonheur qui m'avait rempli d'énergie nouvelle et équipé de telle sorte que j'étais à présent en mesure d'aborder mon travail avec de nouvelles perceptions, une nouvelle énergie mentale.

A notre époque de vitesse inouïe, comme on se plaît si souvent à la définir, nous sommes, la plupart du temps, portés à oublier que nous disposons, chacun de nous et tout près de nous, de nombreuses petites «portes de secours» qui nous permettent de nous évader de nos nombreuses activités quotidiennes et routinières; ceci, au gré de nos fantaisies et selon nos besoins propres. C'est exactement ce qui s'était produit dans mon cas cet après-midi. Alors que je me sentais de plus en plus envahir par la routine et la fatigue, j'avais là, à ma portée, une toute petite porte de secours qui m'a permis, pour quelques minutes, de m'évader de moi, de ma routine, de mon quotidien, et ainsi, de reprendre le travail avec une énergie renouvelée.

Cet hiver, je me suis adonné à quelque chose que je n'avais pas fait depuis au moins une trentaine d'années. Un certain samedi après-midi, je me suis rendu au magasin d'articles de sport du quartier et là, subitement, instinctivement, je me suis acheté une paire de patins. Et le soir même, avant le souper, je suis allé, avec ma fille, patiner à la patinoire voisine, située à deux pas de chez moi. Bien que j'aie plutôt glissé que patiné, j'ai pu goûter à un nouveau bonheur instantané qui m'a procuré une très grande joie, tout en me faisant beaucoup de bien physiquement. Et les soirs suivants, soit à chaque fois que j'en avais envie, je pouvais ainsi m'évader par cette petite «porte de secours», qui était là toujours disponible et à ma portée, et qui me permettait de goûter un nouveau bonheur instantané.

Un soir, j'étais assis au salon avec ma femme, et nous étions là tous les deux à nous dire qu'il faudrait bien qu'on se remette à refaire les exercices physiques que la rapidité de la vie nous avait fait oublier. Nos jambes se faisant de plus en plus raides, nous avons tout à coup décidé d'aller faire une promenade à l'extérieur. Nous sommes donc sortis, comme ça à dix heures du soir, et nous nous sommes aventurés sur la première rue qui s'offrait à nous. Nous avons ainsi marché durant une bonne trentaine de minutes, à nous remplir les poumons à satiété de l'air frais et pur du soir, et aussi, à nous remémorer les délicieux souvenirs de notre jeunesse. De retour à la maison, nous éprouvions tous les deux un nouveau bonheur formidable dont nous étions les seuls à pouvoir goûter pleinement. Et maintenant, chaque soir avant d'aller nous coucher, nous faisons notre petite promenade. Encore une autre petite «issue de secours» qui nous donne accès à l'évasion du quotidien, et qui nous permet de goûter, et même de savourer un nouveau bonheur, gratuit et bien à notre portée.

Depuis quelques années, ma chère moitié demandait de lui préparer un tout petit jardin dans la cour arrière de notre propriété. En ce qui me concernait, je trouvais qu'étant donné le coût élevé des ingrédients de base, achat de la terre, des engrais et des graines de semences, la préparation d'un tel jardin constituait plutôt une perte qu'un sage investissement. Mais un beau jour, et ceci, uniquement pour faire plaisir à ma femme, je préparai enfin le petit jardin tant désiré. Mais aujourd'hui, c'est moi qui suis devenu un mordu du jardinage. J'ai enfin réalisé qu'à chaque fois que je me sens l'esprit survolté, j'ai là, à ma portée, une autre petite «voie de secours» qui me permet de m'évader de la routine quotidienne, ceci, sans que j'aie à me déplacer de chez moi, ni à dépenser d'argent. En effet, rien de tel comme le fait de travailler une heure ou deux au jardinage pour régénérer son esprit, récupérer ses forces nerveuses, et aussi, savourer pleinement un autre petit bonheur gratuit.

Un soir, nous étions là, ma fille, ma femme et moi, assis au salon et nous nous demandions quel poste de la télévision pouvait bien présenter le meilleur programme. Ce soir-là, un des rares soirs où nous nous trouvions tous réunis avec quelques heures de liberté devant nous, nous étions là, assis devant la télévision à nous demander de quelle façon nous pourrions bien nous détendre. Soudainement, ma fille proposa de jouer ensemble au Monopoly. C'est ce que nous avons fait, et je tiens à vous dire que ce fut pour nous comme une sorte de redécouverte familiale. Nous venions, tous les trois, de goûter à un nouveau bonheur, le bonheur de se retrouver ensemble et de s'amuser comme des adolescents. Par la suite, nous nous sommes adonnés à toutes sortes d'autres jeux: Mille bornes, aux cartes, etc. Nous avons été à même de redécouvrir que le jeu en famille constituait une autre excellente voie de secours qui permet de nous évader de la routine quotidienne tout en nous procurant un bonheur nouveau et fort précieux.

Oui, quand on marche plus, tout marche bien mieux. En effet, combien de fois nous sentons-nous las, fatigués, déprimés et parfois découragés à cause du train de vie routinier. Très souvent, on est là à se tourner les pouces, à se tourmenter, à tourner en rond, tout en se demandant ce qu'on pourrait bien faire pour se changer un peu les idées, alors que très près de nous, là à notre portée, se trouvent toutes sortes de petites «sorties de secours» instantanées qui nous permettent de nous évader de nous-mêmes, de la routine quotidienne. Des sorties de secours qui nous permettent de faire des choses différentes, des choses qui nous situent enfin dans le véritable contexte normal de la vie: le contact avec la nature et avec les autres humains qui nous entourent, humains qui souffrent d'ennui et de lassitude tout autant que nous.

Et ces petites voies d'évasion, qui nous permettent de nous évader momentanément de la routine énervante de chaque jour, elles sont fort nombreuses et elles ne coûtent rien, ceci, tout en nous permettant de goûter, et même de savourer pleinement de nombreux «petits bonheurs» nouveaux. Toutes sortes de petits bonheurs qui, tout en régénérant notre esprit, nous ouvrent de nouvelles perceptions des choses et des gens quand, par la suite, on retourne au train quotidien de la vie.

Sortir dehors et respirer à pleins poumons l'air pur et frais du printemps. Sortir dehors et écouter le chant d'accueil que font les petits oiseaux au printemps. Faire une promenade le soir en compagnie de son conjoint. Jouer aux cartes avec les autres membres de la famille. S'adonner au jardinage. Bricoler dans le sous-sol. Visiter ou recevoir des amis. Ecouter une musique de son choix. Et en hiver, faire du ski, patiner, glisser dans les montagnes, se promener en raquettes. Ce sont là autant de petites voies d'évasion qui, étant toutes à notre portée, nous permettent de nous évader de la routine, ceci, tout en nous permettant de goûter de nombreux «petits bonheurs»; des bonheurs gratuits, insoupçonnés et fort régénérateurs.

Récemment, un périodique rapportait qu'à notre époque, alors qu'un tout jeune enfant n'a pas encore débuté l'école, il a déjà pu voir le déroulement d'une quinzaine de milliers de meurtres par le truchement de la télévision. Imaginez! N'avoir même pas six ans et avoir été le témoin de plus de quinze milles scènes de violence par la voie du petit écran. Faut-il alors se demander comment se fait-il que tant de gens se retrouvent malheureux alors qu'ils viennent à peine de commencer à se tenir debout! Peut-être est-il alors grand temps qu'on commence enfin à prendre à coeur le petit message télévisé qui crie avec insistance, mais souvent dans le désert, de s'habiller et d'aller «jouer dehors»! Oui, «Vas donc jouer dehors»; car lorsqu'on se décide enfin à marcher un peu plus, on réalise très vite que TOUT MARCHE BIEN MIEUX.

25

Meublez votre esprit des beaux tableaux de la vie

Il y a de cela une dizaine d'années, des amis nous ont invités, ma famille et moi, à aller passer quelques jours de vacances le long d'un lac assez isolé dans le Nord. Il n'y avait même pas de chemin, et pour s'y rendre, il a fallu louer un petit avion d'une firme de la région de Chicoutimi. Une fois arrivés au lac en question, nous nous sommes installés dans le chalet confortable situé non loin du lac, et là, nous avons passé une semaine vraiment merveilleuse.

Nous passions la majeure partie de nos journées à nous promener sur le lac et à pêcher. Un certain jour, à midi, assis dans un canoë au beau milieu du lac et en train de pêcher, je me suis senti de plus en plus grisé par la beauté du cadre pittoresque qui se présentait à mes yeux. Et, laissant la pêche de côté durant au moins une heure, je me suis rempli l'esprit à satiété de tout ce que mes yeux pouvaient voir, mes oreilles entendre et mon nez sentir. Au-dessus de moi, le soleil se trouvait à son zénith, dans un magnifique ciel d'un beau bleu pur exempt de toute trace de pollution. L'eau du lac était calme, limpide, au point que j'apercevais des poissons qui sautaient pour attraper les petites mouches qui volaient à la surface de l'eau. Tout autour du lac, les arbres, élancés et touffus ajoutaient une autre touche à ce cadre enchanteur. A ma droite, je pouvais apercevoir notre chalet ainsi que le long quai. En tendant l'oreille, je pouvais entendre le chant des nombreux oiseaux qui se trouvaient un peu partout autour du lac.

Quel cadre magnifique j'ai pu observer ce midi-là. Et aujourd'hui, une dizaine d'années plus tard, je suis à même de profiter, en pensée, des moments de précieux bonheur que j'avais pu goûter à satiété ce jour-là. Depuis ce temps, quand je me sens un peu fatigué, triste, découragé même, je me réfugie dans ma chambre, m'allonge sur mon lit, ferme les yeux, et là, en pensée, je me remémore cette magnifique scène de ma vie passée. Pour moi, cette courte période de ma vie constitue un magnifique tableau de calme, de repos, de sérénité et de bonheur que j'ai accroché en permanence dans quelques-uns des circuits de mon cerveau.

Nous sommes des créatures vraiment merveilleuses. Un jour, nous avons eu l'occasion de vivre un moment très agréable de notre vie, un moment qui nous a permis de savourer pleinement le bonheur, et durant toute la durée de notre vie, nous sommes à même de goûter de nouveau une grande part de ce bonheur passé par le seul fait de revivre, en pensée, ce court instant de notre vie. Avec nos sens, la vue, l'ouïe, l'odorat, le toucher et le goûter, nous percevons toutes sortes de moments heureux de la vie. Grâce à notre cerveau, ce super mini-ordinateur que nous possédons, nous enregistrons en permanence les divers épisodes de notre vie. Et, grâce à notre esprit conscient, et aux miracles de la pensée, ceci, au gré de nos fantaisies et de nos besoins, nous sommes à même de revivre, ou nous remémorer, autant de fois que nous le désirons, ces courtes scènes de notre vie passée.

J'aime beaucoup la nature. Donc, à chaque fois que je fais une promenade en forêt en compagnie de ma famille, un pique-nique; que nous allons à la pêche, ou que je contemple simplement un paysage pittoresque, je me remplis l'esprit de tout ce que mes yeux peuvent capter, que mes oreilles peuvent entendre ou que mon odorat peut sentir. A chaque fois que j'en ai l'occasion, j'«accroche» un beau tableau de la vie dans un recoin quelconque de mon cerveau, mon grenier mental.

Depuis que je suis capable de penser, j'ai ainsi réussi à suspendre de nombreuses brèves scènes de ma vie, des scènes qui m'ont déjà permis de goûter toutes sortes de petits bonheurs instantanés et immédiats, du seul fait de les contempler, soit de les vivre durant un instant. Et aujourd'hui, au fur et à mesure que le besoin se fait sentir, je n'ai qu'à revivre en pensée une ou l'autre de ces scènes de bonheur intense de ma vie pour être à même de goûter à nouveau une bonne part de ces bonheurs.

C'est vraiment merveilleux que nous soyons faits de la sorte. Si nous étions faits autrement, les plus beaux moments de notre vie, ces courts moments qui nous permettent de goûter pleinement un «petit bonheur», seraient à jamais effacés de notre vie. Et à chaque fois que nous manifesterions le besoin immédiat de nous évader pour un moment de nous-mêmes, de la routine quotidienne souvent épuisante, il nous faudrait revivre physiquement un autre de ces moments qui, pour nous, constituent le meilleur anti-dote immédiat à nos moments de tristesse, de fatigue ou de découragement. Sans doute que, pour toutes sortes de raisons bien évidentes, il ne nous serait pas toujours possible d'accomplir de tels gestes physiques.

Ce n'est pas toujours notre corps qui est las, fatigué, découragé ou malheureux. Ces sentiments sont des états d'âme qui se vivent mentalement. Notre corps, lui, ne fait que subir le contrecoup de nos états mentaux. Mais fort heureusement pour nous, quand nous ressentons le besoin de nous évader pour un court instant dans une ou l'autre de ces scènes heureuses de notre vie, nous avons là, à notre disposition, toutes ces scènes qui sont accrochées sous forme de «tableaux mentaux» ici et là dans les diverses cellules de notre cerveau. Ainsi, sans que nous ayons à nous déplacer physiquement, nous sommes sans cesse à même de puiser, dans un ou l'autre des tableaux de scènes heureuses de notre choix, tout le bonheur instantané dont nous avons mentalement besoin afin de nous rétablir, afin de récupérer notre équilibre émotif et mental en général.

Ce processus mental qui opère constamment en nous, ressemble un peu à notre album de famille. Quand nous sommes en train de vivre un moment heureux en compagnie de ceux qui nous aimons, tout de suite, l'idée nous prend de capter cette heureuse scène en photo. Et ainsi, au fur et à mesure que les années passent, nous nous retrouvons avec un imposant album familial. L'album familial renferme de nombreux moments heureux de la vie. Le jour de notre naissance, celui où nous avons fait nos premiers pas, le jour de nos fiançailles, celui de notre mariage, celui qui a vu naître notre premier enfant, notre second, ainsi que tous les autres. Et c'est ainsi durant toute notre vie. A chaque fois que nous vivons un moment qui nous rend heureux, nous ressentons tout de suite le désir de le calquer à jamais en photo-cliché. Et pour quelle raison sommes-nous tous enclins à agir ainsi? Tout simplement parce que, pour l'être humain, il est très important, essentiel même, de nous munir de toutes ces petites scènes de bonheur.

L'être humain a besoin de souvenirs. Nous avons absolument besoin de traîner avec nous tous les petits moments heureux de notre vie. Car, la vie étant ce quelle est, telle que nous la connaissons, il est absolument impossible de vivre une vie heureuse de tous les instants. Cependant, même si un grand bonheur de tous les instants est impossible, nous sommes à même de «revivre mentalement» de nombreux «petits bonheurs», ceci grâce à l'album familial que nous conservons précieusement et à tous les tableaux heureux qui se trouvent suspendus en permanence dans notre pensée. Ainsi, même si parfois, nous sommes confrontés avec un moment de découragement, ou de malheur, dans l'immédiat, nous ne sombrons pas dans des états de découragements, ou de malheurs permanents. Non, car grâce à l'album de souvenirs mentaux qui se trouve en nous, nous avons là, à portée de notre esprit, tout ce qu'il nous faut pour retrouver très vite notre calme, notre équilibre mental, notre sérénité et notre joie de vivre.

Il faut cependant faire attention afin de ne pas rester sans cesse suspendu à la contemplation mentale de ces tableaux heureux du passé. Agir ainsi reviendrait à vivre sans cesse parmi le séjour des morts. Et quiconque se complaît en permanence dans le séjour des morts n'a plus guère sa place dans le monde des vivants. Il ne faut user de cette méthode de «dépannage mental» que dans les cas de nécessité absolue, et non pas en abuser. En abuser ressemblerait à une famille qui passe tout son temps présent à contempler l'album familial. Agir ainsi empêcherait cette même famille de profiter pleinement des nombreuses scènes de petits bonheurs qui se présentent dans l'instant présent et qui ne manqueront pas de se manifester dans l'avenir.

Chaque jour qui se présente à nous nous parvient avec son lot de petits moments de bonheurs qui, s'ils ne se goûtent pas à l'instant présent, pendant qu'ils sont là et qu'ils passent, sont à jamais perdus. Donc, afin de ne pas se priver inutilement de toutes ces petites scènes de bonheur de la vie quotidienne, il importe de vivre dans la réalité, dans le présent, tout en étant sans cesse aux aguets afin de saisir pleinement tout ce que l'avenir apporte au fur et à mesure qu'il se présente.

Mais quand rien ne va plus, qu'on est désemparé et qu'on ne semble pas trouver de solutions immédiates à une circonstance fâcheuse de la vie, nous avons donc, à notre portée, pour nous permettre de traverser sans trop subir de dommages ces moments malheureux de notre vie, de nombreux «tableaux mentaux» auxquels nous pouvons avoir recours momentanément. Et pendant que la tempête fait rage au dehors, et qu'elle passe, nous nous trouvons donc bien à l'abri du fait de revivre mentalement un ou l'autre de ces moments heureux de notre vie. Et une fois la tempête passée, nous sommes en mesure de reprendre allègrement le train de la vie quotidienne; et ceci, nous pouvons le faire grâce à ce précieux regain d'énergie que nous avons été à même d'obtenir mentalement quand nous étions vraiment au creux de la vague.

Notre monde est assurément rempli de choses mauvaises, cruelles à voir et décourageantes à subir. Cependant, malgré les innombrables cruautés de la vie, cruautés qui se commettent jour après jour, il est possible de traverser les moments de dures réalités de la vie présente en faisant appel, aussi souvent que besoin se fait sentir, à tous ces tableaux d'instants heureux qui sont suspendus en permanence dans le prodigieux royaume de notre pensée.

26

Ne trichez jamais avec la vie

Avez-vous déjà vu quelqu'un tricher aux cartes? En ce qui me concerne, j'ai eu, à deux reprises, l'occasion de voir les conséquences malheureuses s'abattre sur des personnes qui avaient triché aux cartes. La première fois, c'était il y a environ une vingtaine d'années. A cette époque-là, j'étais dans l'armée et un soir, dans une cantine, je fus témoin d'une bagarre générale qui avait été déclenchée uniquement parce qu'un membre parmi le groupe de joueurs de cartes qui se trouvait attablé dans un coin de la salle, avait été surpris à tricher.

La deuxième fois que j'ai vu quelqu'un tricher aux cartes, ce fut dans un film western, vers la même époque. Je me souviens d'avoir vu, dans ce film, un des quatre joueurs sortir soudainement son révolver et tirer à bout portant en direction d'un autre joueur qui venait tout juste d'être surpris à tricher. Mais, que ce soit dans la vie réelle ou par le truchement d'un film, toute personne qui se fait soudainement surprendre en train de tricher aux cartes, cette personne ne manque pas de s'attirer de graves ennuis.

Mais si je n'ai été qu'à deux reprises témoin du fait que des individus aient triché aux cartes, j'ai eu, par contre, l'occasion de voir de nombreuses personnes tricher avec la vie. Et dans tous les cas, soit à chaque fois qu'une personne essayait, ou trichait tout simplement en essayant d'enfreindre l'une ou l'autre des règles du jeu de la vie, c'était immanquable, cette personne s'attirait toujours des ennuis.

A chaque fois qu'on triche avec la vie, on ressemble à un poisson qui, quittant la zone de sécurité du fond du lac ou de la rivière dans lequel il évolue, et se laissant séduire par l'appât appétissant d'un pêcheur, se fait finalement attraper et finit infailliblement dans la poêle à frire du pêcheur qui le taquinait. Par contre, le poisson vigilant qui apprend à demeurer dans la zone de sécurité et qui se contente de s'alimenter avec la nourriture qui se trouve un peu partout au fond du lac, ce poisson n'a pas à terminer de façon tragique et malheureuse sa carrière dans une poêle à frire.

Mais comment, ou en quoi peut-on tricher avec la vie? Eh bien, à chaque fois qu'on déroge de l'une ou l'autre des lois précises qui président au grand jeu de la vie, on triche tout simplement avec la vie. A chaque fois qu'on s'implique dans des projets ambitieux et qu'il nous faut, pour atteindre finalement les nombreux objectifs souvent égoïstes qu'on s'est fixés, sacrifier notre tranquillité d'esprit, sacrifier le temps qu'on devrait consacrer à notre conjoint, à nos enfants, à notre famille, on triche alors avec la vie. A chaque fois qu'on s'endette au-delà de nos capacités et possibilités de rembourser, et que, afin de rembourser toutes ces dettes qui nous étouffent, l'on doit sacrifier une partie de soi-même, de son bonheur, alors, on se trouve encore à tricher avec la vie.

On peut tricher avec la vie de nombreuses autres façons encore. S'adonner au flirt avec une personne autre que son conjoint, abuser des boissons alcooliques, refuser de travailler afin de subvenir à ses besoins et ainsi, se laisser entretenir par les autres; gaspiller inutilement le temps qui nous est alloué, soit le seul vrai capital que nous possédons bien en propre; mentir à ses semblables, voler autrui, enfreindre les lois du code de la circulation, se quereller avec son prochain, refuser de pardonner les fautes des autres, se montrer indifférent envers les autres, négliger ou refuser d'acquitter ses dettes, et quoi d'autre encore. Oui, à chaque fois qu'on se surprend tout à coup à commettre l'un ou l'autre de ces délits, et aussi beaucoup d'autres du genre, on ne fait pas autrement que tricher avec la vie. Et, étant donné cette loi universelle qui préside l'univers, et laquelle loi nous oblige toujours à subir, tôt ou tard, les conséquences de nos actes, on ne peut donc faire autrement que s'attirer de nombreux malheurs inutiles. Solitude, honte, séparation, endettement, alcoolisme, peine de prison, chômage, maladie vénérienne, ce ne sont là que quelques-uns des malheurs qui guettent l'individu qui est surpris en train de tricher avec la vie.

Et quand on s'adonne à ce jeu de cache-cache avec la vie, il n'est pas nécessaire, comme aux cartes, que quelqu'un nous surprenne à tricher pour subir les fâcheuses ou malheureuses conséquences de nos actes inconsidérés. Non, nul être humain n'a besoin de veiller, car avec la vie, c'est la vie elle-même qui se charge toujours de nous mettre la main au collet, tôt ou tard.

Il faut sans cesse veiller afin de toujours respecter les règles précises du grand jeu de la vie. Car notre monde est littéralement rempli de «pêcheurs» sournois qui ne cessent de nous tendre toutes sortes d'appâts afin de nous attraper et nous faire subir, comme au poisson qui se fait prendre, la torture mortelle de la grande «friteuse morale». Oui, que d'appâts notre monde ne cesse de mettre à notre portée afin de nous inciter tout simplement à tricher avec la vie.

A chaque jour, une publicité insidieuse ne cesse de nous inciter à l'endettement. A chaque jour, une nouvelle morale, qui s'affaiblit sans cesse, ne cesse de nous inciter à l'assouvissement de nos moindres désirs bestiaux. A chaque jour, des pressions de toutes sortes ne cessent de nous inciter à la méchanceté envers autrui, à la rébellion, à la haine et à l'indifférence totale envers les besoins élémentaires du reste de l'humanité. Donc, étant donné tous ces «appâts» sournois qui nous envahissent de toutes parts, il importe de se montrer sans cesse vigilant, observateur, équilibré, sans non plus ne jamais délaisser du regard les lois strictes et précises qui harmonisent l'ensemble du jeu de la vie.

Je suis persuadé que, comme moi, vous devez connaître de nombreuses personnes de votre entourage qui, aujourd'hui, paient peut-être fort cher le fait d'avoir osé tricher un jour avec la vie. En ce qui me concerne, j'ai eu souvent à subir toutes sortes de circonstances malheureuses parce que, consciemment ou inconsciemment, j'avais triché avec une règle quelconque de la vie. Le seul moyen de s'assurer un demain tranquille et heureux, c'est de respecter les règles du grand jeu de la vie, AUJOURD'HUI!

En guise de conclusion, ajoutons que les divers processus qui constituent la conscience humaine sont tellement délicats qu'on s'expose inévitablement à devoir subir toutes sortes de circonstances malheureuses quand on se met à tricher avec la vie.

27

Quand le grand malheur frappe

On a beau être en bonne santé, vivre une vie de famille heureuse, posséder les nécessités de la vie et être à l'abri des nombreuses difficultés de notre monde, rien n'empêche que lorsque le grand malheur frappe, que la mort, cette sournoise et mortelle ennemie, vient nous ravir soudainement un être cher, personne n'a envie, durant de tels moments, de se réjouir. La mort a toujours été, et est encore, toujours cruelle à subir. C'est une ennemie implacable qui n'épargne absolument personne, et qui est la cause des plus grands malheurs de notre humanité. Et en attendant que les promesses divines s'accomplissent totalement en ce qui a trait à son anéantissement, nous n'avons pas d'autre choix que de nous résigner à l'accepter, bon gré, mal gré toutefois.

Mais que faire quand le grand malheur frappe? S'il est tout à fait normal, dans de tels moments, de s'attrister, d'avoir beaucoup de peine, serait-il logique, cependant, de se réfugier dans le malheur continuel ou de se retirer de toute vie humaine active?

J'ai ressenti à quelques reprises la peine profonde qu'on éprouve toujours quand on perd un être cher. J'ai aussi eu l'occasion de parler à d'autres personnes qui, elles aussi, avaient éprouvé cette vive douleur et, suite à mes diverses expériences à ce sujet, ainsi que celles qu'il m'a été données d'entendre, je suis tout à fait à même de dire qu'il y a toujours moyen, bien que ce ne soit pas toujours facile, de surmonter ce cruel malheur.

J'ai constaté, et aussi vérifié, que trois choses précises peuvent nous aider à retrouver notre équilibre, et aussi nous aider à sourire de nouveau à la vie à chaque fois que le grand malheur frappe. J'ai toujours été à même de vérifier, dans mon propre cas, ainsi que dans le cas des personnes dignes de foi avec lesquelles j'ai pu discuter de la question, qu'à chaque fois qu'on s'attache sincèrement à ces trois choses bien précises, quand le grand malheur frappe, on réussit toujours, et sans subir trop de dommages, à reprendre le cours normal de la vie une fois que la tempête est passée.

En premier lieu, il n'y a rien de mieux que le fait de posséder une foi forte et vivante pour nous aider à traverser sans trop de dommages la cruelle épreuve ressentie par la perte d'un être qui nous était cher. Quand je parle de la foi, je ne parle pas de cette foi en un quelconque au-delà où nos chers disparus s'en iraient flotter au sein d'un monde inconnu rempli des fantômes de nos ancêtres, ou encore, d'une sorte d'évolution incohérente qui catapulterait nos bien-aimés dans le corps d'un chien, d'un oiseau, ou d'une autre bête quelconque. Et quand je parle de la foi, je parle encore moins d'une quelconque destinée qui permettrait à un dieu quelconque de nous éliminer du monde des vivants aussitôt qu'il jugerait que «notre heure» est enfin arrivée; qui nous éliminerait par toute sorte de moyens, et sans nullement tenir compte de nos sentiments ainsi que des sentiments profonds de ceux qui nous aiment.

Non! Quand j'avance le fait que la foi est la première des choses qui puisse nous aider à traverser, sans subir trop de dommages, l'épreuve cruelle qu'on ressent toujours quand la mort vient nous ravir un être cher, je ne parle d'aucune autre foi que celle qui est clairement définie dans le récit sacré qui nous explique, dans les moindres détails, les causes réelles de la mort, les raisons d'espérer que ce fléau disparaîtra un jour, ainsi que le sort exact qui est réservé à ceux qui dorment dans la mort.

C'est pas mal plus réconfortant de lire, dans le récit biblique, que nos amis et parents qui sont morts ne souffrent absolument pas dans un enfer de feu éternel, ni qu'ils sont transmigrés dans le corps d'un ver de terre ou d'un porc; mais que plutôt, ils dorment, sans ressentir aucune douleur ni subir aucun tourment.

Bien que la mort soit fort triste à supporter et qu'on n'ait jamais envie de se réjouir à la suite de la perte cruelle d'un être cher, on ne peut faire autrement que se sentir bien réconforté en constatant, dans le récit biblique, sur quelles vérités on peut fonder notre foi en ce qui concerne le sort de nos morts. Comme la Bible fait largement allusion aux promesses divines, à savoir qu'une résurrection aura effectivement lieu un jour, on est au moins soulagé d'entretenir l'espérance profonde et certaine de revoir nos chers disparus. Et étant donné que Dieu a toujours soigneusement tenu ses promesses dans le passé, on ne peut faire autrement que continuer de vivre avec la pleine confiance que tout ce qui a été promis pour le futur se réalisera à coup sûr.

Donc, le fait de nourrir une telle foi dans les promesses divines qui ont trait à la mort, à ses causes, son anéantissement, ainsi que la condition et le sort final des morts, une telle foi fondée sur des promesses certaines faites par un Etre digne de foi, ne peut donc faire autrement que nous aider à traverser, sans aucunement sombrer dans la peine et le malheur continuel, l'expérience vécue par la perte d'un être cher.

Deuxièmement, le fait d'avoir l'esprit occupé et de s'impliquer à fond dans les réalités de la vie présente ne peut faire autrement que nous aider à traverser la dure épreuve de la perte d'un parent, d'un ami ou de tout autre être cher. Le fait de se rendre utile pour les siens et tous ses semblables; de devenir plus attentif aux besoins des autres, de s'adonner à une tâche captivante qui requiert beaucoup de concentration de notre part, de visiter des parents et des amis, soit d'avoir sans cesse l'esprit concentré sur le présent et de s'orienter consciencieusement vers l'avenir, voilà d'excellentes façons de combler le «vide» créé par la disparition d'un proche ou de tout autre être aimé.

C'est toujours l'oisiveté qui fait mourir, jamais le travail ou le fait d'être bien occupé. Comme cela a déjà été mentionné dans une autre leçon de cette étude sur le bonheur, le travail, ou le fait d'être occupés, éloigne de nous trois grands maux: le besoin, le vice et... l'ennui.

Troisièmement, il faut toujours, afin d'être constamment à même de sourire à la vie, tout en y puisant le plus grand nombre de «petits bonheurs» légitimes possible, compter sur la prodigieuse loi de la compensation de la vie. Je vais vous raconter une brève expérience qui vous permettra de mieux comprendre le processus qui préside la loi de la compensation.

Vers le milieu de l'année 1976, j'ai subi la cruelle épreuve de perdre mon père. Quand il mourut, c'est tout comme si une partie de moi-même s'éteignait. C'était un homme qui, malgré l'extrême pauvreté qui sévissait au cours des années de la seconde guerre mondiale, n'a jamais cessé de faire son grand possible pour toujours nous procurer les nécessités de la vie. C'était un homme bon et honnête.

La mort de mon père a créé un immense vide autour de moi, et en moi. Durant les deux années qui ont suivi le départ de mon père, je me sentais tout simplement comme perdu, à cause de ce grand vide laissé. Bien que ma foi en Dieu et en ses promesses sûres, à savoir que mon père reviendrait à la vie grâce à la résurrection; et bien que je me sois constamment tenu occupé et impliqué à fond dans les réalités de la vie, j'avais quand même beaucoup de mal à retrouver mon équilibre, deux ans après avoir subi une telle grande perte. Et voilà qu'au cours de 1978, la loi de la compensation entre soudainement en action, dans mon cas; et grâce au précieux concours de cette loi formidable, je retrouve soudainement tout mon équilibre. Je redeviens enfin entièrement heureux; et bien que la mort de mon père m'ait profondément marqué, la blessure s'est toutefois bel et bien cicatrisée. Voyez comment, finalement, la loi de la compensation a pu agir soudainement pour moi.

La même année que mon père décéda, ma fille aînée, Johanne, s'est mariée. Et deux ans plus tard, soit le jour même de mes quarante ans, qu'est-ce qui se passe? Ma fille me fait un merveilleux cadeau, en donnant le jour à une belle petite fille. Imaginez ma joie! J'avais bien hâte que cet enfant vienne enfin au monde, et voilà qu'elle m'arrive le jour de mes quarante ans. J'avais éprouvé beaucoup de joie et de bonheur lorsque mes deux filles sont venues au monde, mais cette joie était bien différente de celle qu'on ressent quand on s'aperçoit tout à coup qu'on est grand-père, et cela, à quarante ans seulement.

Voilà donc comment, dans mon cas particulier, la prodigieuse loi de la compensation a agi. La perte de mon père avait laissé un grand vide autour de moi, et en moi, et voilà que la naissance de ma petite Mélissa venait largement combler ce vide. La mort m'avait ravi un être très cher; et la vie, elle, m'en redonnait un autre qui m'est aussi cher. La peine et le malheur que j'ai ressentis à la suite du départ de mon père ont finalement été «remplacés» par beaucoup de joie et un grand bonheur, lesquels me furent procurés par cette nouvelle naissance qui me concernait de très près. Comprenez-vous maintenant comment la loi de la compensation peut agir, quand on se montre patient et qu'on apprend à vivre en comptant sans cesse sur elle?

Nourrissez constamment et cultivez jour après jour votre foi en Dieu, en ses merveilles et solides promesses qui ont trait à la résurrection, à l'anéantissement total de notre pire ennemie commune, la mort. Faites en sorte de toujours vous tenir occupé à des tâches humanitaires, des tâches qui, tout en tenant votre esprit occupé, vous permettront de faire apparaître un sourire de réconfort et d'espoir sur le visage d'un être dont, bien souvent, vos marques de bonté constitueront le seul véritable cadeau qui lui serait présenté par la vie. Finalement, apprenez à toujours vous reposer sur la prodigieuse loi de la compensation, loi qui atteste et qui a toujours confirmé, depuis que le monde est monde, que le beau temps vient toujours après la pluie. Et ainsi muni, solidement et fermement, de ces trois puissants «appuis» d'espoir, d'action et de confiance, vous n'aurez aucune difficulté s'il arrivait qu'un jour, sournoisement et subtilement, la mort, cette cruelle ennemie, vienne vous visiter afin de vous ravir d'une façon ou d'autre, un être cher. Bien plus, ces trois puissants appuis vous permettront vite de retrouver votre équilibre, votre sérénité, votre joie de vivre, et finalement, vous orienter vers l'absorbtion de nombreux «petits bonheurs» quotidiens.

28

C'est en comptant ses joies qu'on oublie ses peines

On passe toute notre vie à compter. Quand ce n'est pas de l'argent, ce sont des soucis; et quand ce ne sont pas des soucis, ce sont des calories. De même, lorsqu'on s'examine devant un miroir, on a tous cette tendance à rester bien plus accrochés aux petits défauts que présente notre physionomie qu'à ces petits riens qui accentuent notre personne, et qui ne sont pas du tout, en toute réalité de vrais défauts.

Il y a de cela quelques semaines, je conversais avec une femme âgée; je devrais plutôt dire qu'elle conversait, car elle parla sans arrêt pendant plus d'une vingtaine de minutes des nombreux problèmes qui l'accâblaient. Ses rhumatismes et son arthrite l'empêchaient de dormir; elle fit mention de son mari, décédé depuis une trentaine d'années, et qui l'avait laissée avec tous les problèmes dus aux responsabilités familiales sur les bras. De Jean-Jacques, elle passa à Jean-Pierre, et ensuite, parla du chien du voisin qui troublait son sommeil toutes les nuits. Puis il était question de son manque d'argent, etc...

Tout à coup, entre deux pauses respiratoires de sa part, j'en profitai pour lui demander, dans le but de porter aide à son problème monétaire, si elle consentait à me vendre ses deux yeux, ou même un seul, pour cinquante milles dollars. Il semble bien que ma requête l'aie piqué au vif, car elle s'empressa de rétorquer que jamais elle ne vendrait ses yeux. Elle en avait bien besoin, et sans ses yeux, me dit-elle, mourir serait préférable. Graduellement, j'augmentai la valeur de mon offre, mais cela n'en valait pas la peine car elle ne voulut absolument rien savoir à propos de la vente de ses yeux. J'eus beau lui expliquer que des personnes aveugles et riches avaient besoin d'yeux et que ces dernières seraient certainement disposées à donner toute leur fortune en échange de ses yeux à elle. J'eus beau lui expliquer que pareille transaction pourrait facilement résoudre une grande partie de ses problèmes; qu'ayant plus d'argent, elle pourrait enfin faire traiter ses rhumatismes et son arthrite par d'excellents experts en la matière, et que grâce à une pareille somme, elle serait en mesure de vivre très à l'aise dans un endroit beaucoup plus tranquille. Mais malgré tous les arguments logiques que j'avançais, cette femme ne voulut absolument rien entendre à propos d'un tel échange: échanger ses yeux contre une certaine somme d'argent, quel que puisse être le montant de la somme offerte.

Avez-vous remarqué que la plupart du temps, on se surprend à parler de nos soucis, à les énumérer de A à Z, et à les étaler à la vue du premier venu, mais que rarement nous surprenons-nous à en faire autant par rapport à nos joies quotidiennes? Ainsi, on se plaint du mauvais temps qu'il fait lorsqu'il pleut, mais en dit-on autant de cette même pluie qui est pourtant nécessaire pour accélérer la fonte de la neige au printemps, pour irriguer nos champs et préparer le sol pour la récolte? On se plaint sans cesse de l'augmentation des taxes, mais quand parle-t-on de tous les avantages qui nous reviennent en échange des taxes que nous payons? On dit souvent à notre enfant, et on ne se gêne nullement pour lui faire bien sentir, jusqu'à quel point il peut être maladroit, paresseux et obstiné, mais quand prend-on le temps de lui transmettre les félicitations que l'amélioration de sa conduite pourrait lui mériter? On adresse spontanément à notre femme des reproches lorsqu'une paire de pantalons, dont on a absolument besoin dans l'immédiat, n'est pas bien repassée, mais la félicite-t-on avec autant de spontanéité et sincérité quand les mêmes pantalons sont bien repassés et prêts à être portés à n'importe quel moment?

La détestable habitude de mettre sans cesse l'accent sur les peines, les soucis ou les contrariétés de la vie est toujours dangereuse. Oui, dangereuse parce que graduellement, sans qu'on s'en aperçoive vraiment, cette habitude peut faire de nous des personnes exclusivement négatives. Et quand une personne devient négative au point de voir du noir partout, il n'y a plus alors qu'un seul pas à faire entre le fait de se plaindre de ses soucis et celui de se mettre finalement à critiquer sans cesse la vie, les autres, et même ce qui est bien mais qui ne correspond pas à son propre point de vue. Et comment une personne qui est descendue à ce niveau peut-elle être heureuse, et profiter pleinement de tous les petits instants de bonheur qui se présentent à elle quotidiennément? A cause de son attitude négative, une telle personne devient si peu réceptive qu'elle n'est jamais en mesure de saisir vraiment, ni même d'apercevoir, ces petits rien de la vie qui ne manqueraient pas de lui procurer de nombreux «petits bonheurs» si elle se montrait positive, attentive et ouverte à sa vie de chaque instant.

Il est bien certain que la vie n'est pas toujours un «cadeau», comme disent les Québécois. Cependant, en dépit de nos diverses tares, nos nombreuses imperfections, les innombrables manquements des autres, les erreurs de jugement qui se commettent en tous lieux, la maladie, la vieillesse et la mort, les sujets réjouissants et édifiants ne font pas défaut. Malgré tout l'aspect négatif et souvent décourageant que représente l'ensemble de notre vie personnelle, peut-on avoir de bonnes raisons de se montrer reconnaissant envers la vie en général? Oui, et cela pour d'innombrables raisons.

Présentement, au moment où j'écris ces lignes, je sais que certains peuples du monde sont en proie à la famine, et manquent même des strictes nécessités de la vie, tel le peuple cambodgien par exemple. Par contre, bien que l'inflation fasse rage ici en Amérique du Nord, avons-nous connu des personnes qui sont démunies et exposées à la plus cruelle famine au point de mourir de faim?

Depuis plusieurs mois déjà, on se plaint de l'augmentation incontrôlée du prix du pétrole, du prix de l'électricité; mais peut-on citer en toute connaissance des familles qui, bien qu'étant aux prises avec les hausses du coût de l'énergie, en sont arrivées au point de se passer entièrement des bienfaits que procure une automobile, ou l'électricité?

Oui, bien que nous soyons en train de lutter contre une inflation sans cesse croissante dont les effets se font plus que sentir, nous ne pouvons pas dire que nous sommes aussi démunis qu'on le prétende. Bien que la cupidité des uns et le manque de contrôle des autres n'apportent pas de solution à une économie sans cesse chancelante, on a tout lieu de se montrer reconnaissant et de se réjouir quand, s'arrêtant un moment, on se compare aux habitants d'autres parties du globe.

Récemment, je visitais la ferme laitière d'un ami fermier. Je regardais tout ce beau lait blanc qui circulait dans les longs tuyaux transparents reliés aux nombreuses machines servant à extraire le lait des vaches, et me mis tout d'un coup à penser à tout ce que ce riche lait permettait de produire: du beurre, du fromage, du yaourt, en somme, une abondante source de nourriture. Et là, parmi ces vaches, je me suis réjouis de ce qu'il n'était jamais venu à l'instinct d'aucune d'entre elles qui existent sur la terre de faire la grève; et, à moins d'une sérieuse «amélioration» de leurs conditions de vie, elles se refuseraient à donner la moindre goutte de lait. Pourtant, quand on compare le prodigieux travail effectué chaque jour par une vache au rendement de nombreux ouvriers modernes qui ne cessent de revendiquer «leurs droits» à coups de grèves désastreuses et fort nuisibles à la population, la vache, elle, aurait bien des raisons de se mettre en grève aussi.

Ainsi, on se plaint sans cesse de nos revenus, qu'on trouve de plus en plus «ridicules», mais pourquoi, pour un moment, ne pas se réjouir en comptant les nombreux avantages que nous recevons du fait que la terre, la végétation, les animaux, ne se fatiguent jamais de nous procurer GRATUITEMENT, sans qu'il ne nous en coûte un seul sou, tout ce qu'il nous faut pour nous nourrir, nous vêtir et nous loger? La vache produit le lait et la viande qui nous nourrissent; et après quelle est morte, sa peau nous fournit des chaussures que nous portons durant de nombreuses années.

Aussi, on se plaint sans cesse du coût de plus en plus élevé des logements, du loyer, de la valeur du dollar, des taxes foncières; mais pourquoi, durant un moment, ne pas lever les yeux au ciel et remercier chaleureusement Celui qui nous permet d'habiter GRATUITEMENT sur SA terre, sans jamais nous faire parvenir le moindre compte de loyer, de taxes, ni la moindre menace parce qu'on n'aurait pas acquitté un de ces comptes à temps?

On maudit les hommes qui, à cause de leurs lois, augmentent sans cesse le coût de l'électricité; mais pourquoi, pour un moment, ne pas remercier profondément Celui qui a fait le soleil, qui en est toujours le propriétaire, et qui permet toujours de profiter GRATUITEMENT de la chaleur et de la lumière qu'il dégage jour après jour, sans qu'il ne nous en coûte un seul sou?

On est effrayé de constater la cupidité des magnats du pétrole, ainsi que celle des dirigeants qui abusent de cette source d'énergie en augmentant sans cesse les taxes; mais pourquoi, pour un moment, ne pas montrer un peu de gratitude et de reconnaissance envers Celui qui a créé le pétrole, qui l'a fait devenir ce qu'il est au sein de Sa terre, et qui, jamais, au grand jamais, ne nous en taxe le moindre litre?

Je pourrais ainsi continuer encore à vous démontrer comment, nous les êtres humains qui logeons GRATUITEMENT sur cette belle planète, nous pouvons avoir de bonnes raisons de nous montrer reconnaissants. Certes, la vie coûte bien cher, mais elle coûte cher en quoi? En sueurs de notre part, en temps de notre part? Non, la vie ne coûte cher qu'en «papier». Et le papier-monnaie, lui, ne provient-il pas du bois des forêts? Et à QUI appartient le bois des forêts? Quelle nation de notre terre peut revendiquer le droit absolu sur le bois des forêts? Aucune, n'est-ce pas! La vie coûte cher en papier seulement, mais doit-on craindre que le Propriétaire du bois ne vienne à nous taxer le papier? Non, ce n'est pas sensé qu'il agisse ainsi en notre envers.

Ainsi, on perd tout son temps à se bloquer mentalement sur les peines et les soucis de la vie qui sont, la plupart du temps, sinon toujours, causés par la méchanceté, la cupidité, la haine, et l'ingratitude des hommes de la terre. Se plaindre des peines causées par les êtres égoïstes et méchants n'est rien comparé à la grande joie qu'on éprouve, qu'on ressent, et au grand bonheur qu'on goûte pleinement quand, pour un moment, on se met à remercier de tout coeur Celui qui a créé toutes choses, le Propriétaire très généreux de tout ce dont nous nous servons, employons pour combler et satisfaire tous nos besoins, et aussi le moindre de nos désirs. Parler et dire MERCI à ce Propriétaire qui jamais ne songe à exiger de nous qu'on lui paye le moindre sou en échange de tout ce qu'il nous donne. Oui, ô combien il est bien exact d'affirmer que ce n'est qu'en comptant ses joies qu'on oublie, et très vite, ses petites peines quotidiennes.

29

Un mal qui nous arrive est souvent un bien

J'ignore ce que vous pensez des dentistes, mais en ce qui me concerne, j'ai toujours été effrayé à l'idée de devoir aller voir un dentiste pour me faire réparer ou extraire une dent. Mais malgré cette peur, bien plus psychologique qu'autre chose, quelle sensation de bonheur on éprouve après que le dentiste nous ait enfin soulagé de ce mal de dent qui nous empêchait de dormir depuis un certain nombre de jours.

L'an dernier, je lisais, dans un journal, le récit raconté par un type qui, à cause de l'intensité du trafic, manqua son avion. Pour lui, le fait d'avoir ainsi manqué l'avion qui devait le conduire dans une certaine ville afin de réaliser une affaire fort importante, s'avéra presque un désastre. Mais quelle joie ce même type éprouva-t-il lorsque, le même soir, un bulletin spécial d'informations déclarait que le même avion qui devait le conduire à destination avait explosé en plein vol au-dessus d'une chaîne de montagnes!

Je connais un homme qui, alors qu'il était à l'université, rata à cause de la maladie les derniers examens qui devaient lui permettre d'obtenir son diplôme d'avocat, diplôme tant désiré. Pour un temps, le jeune homme éprouva certaines difficultés à se retrouver, à s'orienter vers de nouveaux horizons. Mais soudainement, tout à fait par hasard, le fait qu'il se retrouvait libre, et juste assez instruit, lui permit de se lancer en affaires avec un associé. Aujourd'hui, cet homme gagne bien sa vie, accomplit un travail qu'il aime et qui le rend heureux, et se trouve bien plus à l'abri du problème confronté par bon nombre de diplômés en droit, c'est-à-dire des avocats qui, pour subsister, végètent dans des bureaux de second ordre. Le «mal» qui lui est arrivé lui a permis d'occuper le premier rang dans son nouveau travail qu'il s'est créé, alors que sans ce «mal», il se serait retrouvé toujours au bas de l'échelle, bien que muni d'un diplôme en bonne et due forme.

Une jeune femme que j'ai connue durant son adolescence, fit une dépression parce que le garçon qu'elle prétendait aimer l'abandonna pour une autre. Mais aujourd'hui, cette femme est vraiment reconnaissante de ce «mal» qui lui est arrivé pendant sa jeunesse. Elle a pu ainsi rencontrer un garçon très bien avec lequel elle est très heureuse en ménage. Mais elle est encore bien plus reconnaissante envers ce «mal» lorsqu'elle constate dans quelle lamentable misère se trouve la pauvre fille qui a accepté d'épouser le garçon qu'elle prétendait aimer et qui fut l'objet de sa dépression.

J'ai connu également un jeune garçon qui, à l'époque, était fort difficile à être élevé par ses parents. Son père le disciplinait sans relâche. Et à chaque fois que son père intervenait et lui administrait la correction, il éprouvait une forte haine à son égard. Il s'était considéré un peu comme une sorte d'esclave de son père et un prisonnier de son foyer. Il n'avait presque jamais le droit de sortir avec ses camarades. Il devait rester le soir à la maison et s'appliquer à ses études tandis que ses camarades, eux, avaient le «droit» de sortir et de faire ce que bon leur plaisait.

Mais un beau jour, âgé de vingt ans, et encore étudiant, ce jeune homme parvint finalement à apprécier la discipline de son père. Tout d'un coup, il se mit à comprendre que sans la vigilance et la discipline de son père, il serait comme ses camarades: errant çà et là sur les places publiques, s'adonnant à la drogue, au larcin et à l'oisiveté. Et aujourd'hui, alors qu'il vient à peine d'entamer la trentaine, ce même jeune homme est le principal bras droit du président d'une importante compagnie. Il suffit de parler un instant à cet homme pour réaliser très vite jusqu'à quel point il est reconnaissant envers ce «mal» qu'il a subi de la part de son père durant son adolescence.

Un jour, ma femme portait pour la première fois la jolie robe qu'elle avait achetée quelques semaines auparavant. Toute fière, elle s'empressa de me montrer sa nouvelle toilette. En effet, la robe était jolie et le matériel de bonne qualité. Mais après l'avoir félicitée pour le bon achat qu'elle avait fait, je fus obligé, malgré moi, de lui dire que ce genre de robe ne lui convenait pas du tout. Sur le coup, ma femme fut très ébranlée par mes commentaires, mais aujourd'hui, elle est très heureuse de me consulter, d'avoir mon avis avant de s'acheter une robe. Elle a désormais confiance en ma sincérité et si un vêtement ne lui convient pas, elle a une confiance absolue que je ne lui cacherai pas la vérité. En fin de compte, ce «mal» que j'ai certainement fait à mon épouse s'est retrouvé aujourd'hui être un «bien» pour elle.

Il y a une dizaine d'années, la jeune fille d'une famille amie reçut, de la part de son ami, l'invitation pour une randonnée en automobile. Elle en informa ses parents mais ces derniers refusèrent de lui accorder la permission d'aller se balader avec ce jeune homme qui, à la connaissance de son père, était assez imprudent au volant. Mais à force de les tourmenter, ses parents se laissèrent finalement convaincre et lui accordèrent une bien malheureuse permission. Bien malheureuse en effet, car moins de trente minutes après le départ du jeune couple, un terrible accident coûta la vie à la jeune fille. Ce «mal», que des parents trop faibles refusèrent d'appliquer, s'est vite converti en un grand malheur pour elle, et aussi pour ses parents qui, depuis ce temps-là, ne cessent de se reprocher leur manque de fermeté.

Je suis persuadé que si vous vous mettez à chercher un peu dans votre vie personnelle, conjugale ou familiale, vous ne manquerez pas de découvrir, vous aussi, de nombreux «mal» (maux) qui, grâce aux circonstances de la vie et le cours des années, se sont finalement avérés être des «biens».

Je tiens à citer un autre cas qui démontre jusqu'à quel point un «mal» peut vite se changer en bien quand, avec un peu de patience et de raisonnement, on fait confiance à la vie. Il y a environ six mois, un couple ami eut soudainement l'idée de s'acheter une maison en banlieue. A cette époque, le mari recevait un salaire suffisant qui lui permettrait avec certitude d'acquitter les mensualités de la maison. Mais vu son jeune âge, un capital limité et peu d'expériences en matière de crédit, le jeune couple m'approcha pour me demander si je consentirais bien à endosser l'hypothèque. Je demandai un délai pour y réfléchir et après en avoir discuté avec mon épouse, nous avons décidé de ne pas leur apporter notre aide. Nous en éprouvions du regret, car il s'agissait d'un couple gentil et assez serviable.

A cause de notre refus d'endosser l'hypothèque, ce jeune couple se trouva dans l'impossibilité d'obtenir l'emprunt qui leur permettrait d'acheter enfin le «château» de leurs rêves. Mais avec quel sentiment de reconnaissance le mari est-il venu me remercier quand, moins d'un mois après qu'il se serait retrouvé l'heureux propriétaire d'une maison, et aussi un «heureux sur-endetté» la compagnie pour laquelle il travaillait se trouva dans l'obligation de fermer ses portes à cause d'une grève imprévue. Et jusqu'à présent, la grève n'est pas encore terminée. Mais notre jeune couple ami, lui, n'éprouve aucune difficulté à s'acquitter du versement très minime qui doit être versé mensuellement pour le loyer. Encore une fois, il s'agit là, à première vue, d'un «mal», qui, avec le temps, s'est finalement changé en «bien».

Combien de fois, dans la vie, se retrouve-t-on ainsi confronté à diverses circonstances qui, sur le coup, au moment où on les vit, se présentent comme autant de «mal» (maux) qui, avec le temps, se changent souvent en «biens»! Une maladie, un accident, la perte d'un emploi, se voir refuser un prêt, etc., ce ne sont là que quelques-uns des «mal» (maux) qui, dans la plupart des cas, se changent en «biens» pour nous procurer la tranquillité d'esprit, la joie de vivre et du bonheur.

Il est bien certain qu'il n'y a rien de réjouissant à se voir conseillé assez fermement, mais quand on y pense vraiment, ce «mal» qu'on ressent à chaque fois que quelqu'un nous donne un conseil, nous réprimande ou nous discipline ne s'avère-t-il pas, en fin de compte, un «bien» pour nous? Car sans conseils, réprimandes, ou disciplines, comment l'amélioration de soi pourrait-elle être rendue possible?

La vie est une longue chevauchée de disciplines et de corrections. La vie n'est pas faite pour être brièvement vécue. Non, elle nous a été donnée pour être réalisée. Quand on vit à court terme, on n'a nul besoin de conseils, de réprimandes, ou de disciplines. Mais quand on envisage la vie comme ce qu'elle est vraiment, soit une très longue aventure éternelle, on ne peut faire autrement que d'avoir un absolu besoin de subir, ici et là sur notre route, toutes sortes de petits «mal» (maux) qui, en fin de compte, sont autant de «biens» pour nous. Des «biens» qui constituent les seuls moyens réalistes et efficaces que prend la vie pour faire de nous le genre d'êtres qu'on se doit d'être: des êtres responsables, fidèles, formés, sans cesse retransformés et renouvelés; et finalement, des êtres heureux et comblés de joie de vivre.

Oui, un «mal» qui nous arrive est souvent un «bien»; et, «Si un homme te traite d'âne, n'y fais pas trop attention; mais si, cependant, deux hommes te traitent d'âne, alors, cours vite t'acheter une selle!»

30

Apprenez à appliquer la loi du «faire-semblant»

Il y a un certain programme qu'on présente chaque semaine à la télévision et que j'aime beaucoup. Il s'agit de l'émission présentée sous le thème «Au Royaume des animaux». Peut-être allez-vous vous demander quel rapport peut bien exister entre un tel programme télévisé et la présente leçon du bonheur; mais en ce qui me concerne, je vais vous expliquer l'aspect spécifique de ce programme qui me vient à l'esprit lorsque, dans la présente leçon, je parle de la loi du «faire-semblant».

Ce qui me frappe toujours en regardant le «Royaume des animaux», c'est de voir comment de tout petits animaux, paraissant bien faibles par rapport à d'autres espèces beaucoup plus impressionnantes, n'en réussissent pas moins, cependant, à effrayer leurs ennemis, et ainsi à continuer de demeurer en vie. En effet, ces petits animaux grognent, montrent les crocs et sortent les griffes; ils «font semblant» d'être puissants, forts, et effectivement, ils sont les plus forts en ce sens que leur «faire-semblant» éloigne d'eux des ennemis redoutables et assure ainsi leur survie.

Dans le système de la vie actuelle que nous connaissons il n'y a absolument pas de situation qui soit tout à fait idéale à tous les points et qui puisse nous procurer le bonheur total et parfait comme on dit. La plupart du temps, et bien malgré nous, nous sommes obligés de subir et d'endurer des situations qui, n'étant pas tout à fait blanches, ou tout à fait noires, sont plutôt floues, pour ainsi dire nuageuses. Il nous arrive parfois de patauger dans des zones nuageuses de notre existence; des zones qui, n'étant pas assez sombres pour nous empêcher de vivre, ou assez claires pour nous épargner tout souci, sont toutefois trop floues pour nous empêcher de saisir pleinement les petites occasions de bonheur qui se trouvent tout autour de nous.

Parfois, la situation dans laquelle nous nous trouvons ressemble un peu à celle du pilote d'avion de ligne qui, bien que prenant conscience du mauvais temps, ne peut pas rester au sol étant donné que les conditions atmosphériques ne sont pas assez mauvaises pour l'y obliger; mais qui, s'il prend son envol, n'est toutefois pas en mesure de piloter son lourd appareil étant donné que la vision n'est pas assez bonne, qu'elle est plutôt floue. Cependant, bien que les conditions ne soient pas tellement favorables, le pilote doit quand même décoller, car autrement, s'il modifie son horaire d'envol, trop de choses risquent d'être bousculées et l'entreprise qui l'emploie se retrouverait très vite acculée à la faillite s'il fallait que les avions restent cloués au sol à chaque fois que les conditions atmosphériques ne sont pas tout à fait convenables.

Heureusement, bien que la température ne soit pas toujours propice, le pilote accepte quand même de prendre son envolée vu l'absolue confiance qu'il a que, quelles que puissent être les conditions du temps, de nombreux instruments de précision pourront lui être d'un précieux concours. Quand les conditions atmosphériques deviennent trop floues, le pilote n'a qu'à brancher le pilotage automatique, et ainsi, ni lui, ni l'appareil, ni l'équipage ne courent de risques. J'ai même déjà vu des pilotes jouer aux cartes avec leur co-pilote alors qu'ils se trouvaient assis aux commandes de leur appareil. Ces derniers «faisaient semblant» de piloter, tandis que c'était le pilotage automatique qui faisait tout le travail.

Il y a quelques années, je discutais avec une femme, épouse et mère de famille, qui se trouvait dans une situation floue, une zone plutôt nuageuse de sa vie conjugale. Cette femme traversait une période de dures difficultés, son ménage s'en allait de plus en plus à la dérive, et elle en était arrivée à se demander lequel parmi les deux choix suivants placés devant elle, elle devait choisir: se séparer tout simplement de son mari infidèle, ou pardonner à son conjoint à cause des enfants, et ainsi, sauvegarder intacte la cellule familiale.

Après lui avoir parlé de la loi du «faire-semblant» ainsi que l'application du fameux pilotage automatique dont chaque avion de ligne est doté, elle prit finalement la décision de se laisser diriger par le pilotage automatique, c'est-à-dire, de «faire-semblant» - à cause surtout des enfants - que tout allait pour le mieux, du moins jusqu'à ce que la zone nuageuse de sa vie conjugale soit traversée.

Et voici ce qui est finalement arrivé à cette excellente épouse et bonne mère de famille. A force de «faire semblant» d'être heureuse en ménage avec son mari, et se dévouant intensément pour ses enfants, les conditions se sont améliorées à un tel point qu'aujourd'hui, c'est toute la maisonnée de cette femme qui «vole» maintenant en zone de beau ciel bleu et clair, sans aucun nuage sombre à l'horizon.

Une de nos connaissances se faisait beaucoup de souci à propos de sa taille et de son poids. Cette personne était devenue tellement malheureuse que parfois, l'idée de s'enlever la vie lui hantait l'esprit. A chaque fois que son conjoint, ses enfants, ou ses amis faisaient allusion au poids, ou à la taille d'une personne quelconque, elle était convaincue que ces allusions s'appliquaient à elle en particulier.

Et à elle aussi, je parlai de la loi du «faire-semblant», de la nécessité qu'éprouvait parfois un pilote d'avion de ligne de brancher le pilotage automatique; et dans son cas aussi, les résultats furent très positifs. Celle-ci se mit à rénover complètement sa façon de penser, à penser «sveltesse» plutôt qu'embonpoint; elle en arriva ainsi à maîtriser de plus en plus ses attitudes en matière de manger et de boire, et à équilibrer son apport alimentaire que finalement, au fur et à mesure que sa façon de penser se rénovait, elle perdit enfin les bourrelets disgracieux qui la désavantageaient tant et la faisaient tellement souffrir moralement.

Faut-il en conclure que les résultats obtenus par cette personne ne sont imputables qu'à sa seule façon de penser? Non! Mais à force de «faire-semblant» qu'elle était svelte, elle se voyait de plus en plus en pensée dans de beaux vêtements légers et à la mode. Et plus les contours d'une nouvelle personne svelte se dessinaient à travers les nuages de l'être obèse qu'elle était devenue, cette vision persistante constituait une telle force qu'elle attirait vers elle tous les éléments qu'il lui fallait pour retrouver enfin une taille plus normale. Car en effet, plus on «fait semblant» que la chose désirée et légitime est là tout près de nous, plus puissantes deviennent les convictions qu'on a absolument besoin des choses espérées et plus tenaces et fertiles deviennent les moyens qu'on emploie pour atteindre enfin l'objectif visé.

De son côté, un père de famille a ruiné son ménage, et a finalement rendu toute sa famille malheureuse parce qu'il avait tout simplement choisi d'abandonner le combat, cessé d'espérer; autrement dit, il avait «lâché les commandes» alors qu'il se trouvait précisément en pleine zone nuageuse de son existence. Alors qu'il travaillait depuis une vingtaine d'années pour la même entreprise, cet homme-là se retrouva soudainement chômeur du jour au lendemain. Mais plutôt que de se prendre en main, se chercher de l'emploi ailleurs, et demeurer positif et confiant en l'avenir, il se mit à critiquer le monde et la vie, et à déverser son venin d'amertume au sein de son foyer. Eh bien, la situation devint tellemnt tendue qu'en fin de compte, l'épouse de cet homme se découragea, fit une dépression nerveuse, et en dernier lieu, l'abandonna pour aller vivre ailleurs toute seule avec ses deux plus jeunes enfants.

Par contre, je connais un autre homme qui, bien que s'étant trouvé dans une telle zone nuageuse, a réussi à traverser cette période difficile de son existence sans que ni lui, ni sa femme, ni ses enfants n'en subissent aucun dommage que ce soit. Lui aussi venait de perdre son emploi qu'il occupait depuis son adolescence. Mais loin de se décourager, de s'apitoyer sur lui-même, de déverser toute son amertume au milieu de son foyer, il a pris son courage à deux mains, a relevé la tête, retroussé ses manches, et s'est mis positivement à la recherche d'un autre emploi. En tout temps, cet homme n'a jamais cessé de «faire-semblant» que tout allait pour le mieux; il n'a jamais cessé, malgré la dure épreuve du moment, de faire confiance en l'avenir, ni de croire que derrière la masse nuageuse qui l'enrobait momentanément de toute part, se trouvait infailliblement une zone de beau temps. Il a «fait semblant», et grâce à l'application sensée de cette formidable loi du «faire-semblant», il s'est finalement retrouvé en dehors de la zone sombre en occupant un emploi encore meilleur que celui qu'il avait perdu. Et le plus fantastique de l'histoire, c'est que l'appareil, ainsi que tous les passagers, soit la cellule familiale et toute la maisonnée se sont, eux aussi, finalement retrouvés, en compagnie du pilote, en zone ensoleillée, ceci, sans qu'aucun des membres n'en subisse un dommage quelconque.

Comment se fait-il qu'il y ait des gens dans la vie qui, alors qu'ils se trouvent soudainement en pleine zone nuageuse de leur existence, une période difficile de leur vie, décident tout d'un coup de tout abandonner, de «lâcher les commandes»; et d'autres qui, apercevant des nuages à l'horizon, soit qu'ils devront faire des efforts pour réussir et être heureux, choississent tout simplement de ne rien entreprendre; tandis que d'autres, par contre, traversent allègrement les zones floues de leur vie, sans en subir trop de dommages, ou encore, n'hésitent absolument pas de se lancer dans la vie, d'entreprendre quelque chose de positif, ceci, bien que la route à suivre ne leur paraisse pas trop claire sur le coup. Il y a des gens qui, bien que traversant des périodes difficiles ou nuageuses, s'appliquent à «faire-semblant» que tout va pour le mieux, que tout ira bien dès que les nuages seront enfin traversés; et d'autres, par contre, qui décident tout simplement de se laisser aller au découragement, de tout abandonner dès l'instant qu'ils sont confrontés avec une perturbation quelconque.

La raison en est qu'il y a des gens qui, bien que n'apercevant pas clairement les contours de la voie à prendre, décident quand même d'entreprendre quelque chose avec la ferme conviction qu'au moment où ils se retrouveront en pleine zone nuageuse, de doute et d'incertitude, ils n'auront qu'à brancher le pilotage automatique, à «faire-semblant» qu'une fois les nuages traversés, tout ira bien; et effectivement, nous voyons que dans le cas de ces gens-là, l'application de la prodigieuse loi du «faire semblant» leur réussit infailliblement.

En une certaine occasion, je visitais une vieille dame qui en avait long à dire à propos de l'ingratitude des enfants de notre siècle. Cette dame âgée avait, il y a environ trois mois, demandé à sa fille aînée de lui confectionner une robe. Mais, pour une raison ou un autre, la fille refusa de rendre ce service à sa mère. La vieille dame se mit dans une telle colère que dorénavant, pour elle, plus aucun de ses enfants ne serait l'objet de son attention. Ainsi, elle s'isola de toute sa famille, se mit à rabâcher sans cesse le même refrain d'ingratitude à chaque fois qu'un visiteur se présentait à sa porte. La pauvre femme «lâcha» tout simplement les «commandes» alors qu'elle se trouvait en pleine zone nuageuse, ce qui lui fut fatal. Oui, fatal, car étant donné son état, elle se priva ainsi de nombreuses petites occasions de bonheur qui se trouvaient toujours tout autour d'elle, mais qu'une attitude défaitiste envers les siens rendait aveugle.

Oui, c'est lorsqu'on patauge en pleine zone de doutes, d'incertitudes de notre existence, que tout semble mal aller, et qu'on se trouve enveloppé de tout bord et tout côté par les épais nuages de toute sorte de circonstances malheureuses de la vie; oui, c'est durant de tels moments qu'il importe d'imiter le petit animal qui, bien que paraissant faible et impuissant, mais se voyant soudainement menacé par la venue d'un redoutable prédateur beaucoup plus puissant que lui, se met tout à coup à redresser la tête, courber le dos, montrer les crocs, sortir les griffes et à grogner, en somme, à «faire-semblant» d'être fort, dangereux et redoutable. Et la plupart du temps, ce n'est que grâce à son instinct de «faire-semblant» que le petit animal doit sa survie et qu'il parvient à mettre en déroute des prédateurs beaucoup plus puissants que lui. Et ces derniers, malgré leur taille et leur expérience, sont tellement effrayés à la vue d'un tel animal qui, bien que beaucoup plus petit qu'eux, démontre une telle assurance, qu'ils s'en vont chercher une autre proie ailleurs.

Et c'est aussi durant de tels moments, soit lorsqu'il se trouve soudainement en pleine zone d'épais nuages, que le pilote met en opération le pilotage automatique, et qu'il «fait-semblant» de piloter tout en étant absolument confiant qu'un fois la zone dangereuse traversée, il pourra reprendre les commandes de son appareil. Et ainsi, le pilote, l'appareil et tout l'équipage se retrouvent sains et saufs, dans une zone de meilleur temps, ceci, sans en avoir à subir aucun dommage.

A chaque fois qu'on applique la loi du «faire-semblant», qu'on fait semblant d'être heureux, qu'on s'efforce de sourire, et qu'on se montre toujours bon et prévenant pour les autres, bien qu'on se trouve soudainement en conflit avec une zone de dures épreuves, ou de toute sorte de circonstances malheureuses de son existence, c'est exactement comme si on appliquait le «pilotage automatique» et qu'on se laissait ainsi diriger durant tout le temps que dure la traversée des nuages. Aussi, c'est exactement comme si, devant les cruautés et les incertitudes de la vie, on se mettait tout à coup à redresser la tête, à bomber courageusement le torse, à retrousser les manches, et à regarder positivement devant soi en lançant un défi; en disant et en montrant à la vie que si elle est plus puissante que nous, c'est nous qui sommes quand même le plus fort.

En tout temps, oui, croyez fermement que la vie vaut la peine d'être vécue et votre croyance vous aidera à prendre plaisir à la vie. La loi du «faire semblant» est là, à la portée de tous et chacun. Il suffit simplement de l'appliquer à chaque fois qu'on se trouve soudainement en zone grise et floue de notre existence pour finalement retrouver vite son calme, son équilibre, son assurance et sa totale confiance envers l'avenir, ainsi que sa joie de vivre; sans non plus oublier les innombrables occasions de «petits bonheurs» insoupçonnés qu'on ne manque pas d'apercevoir une fois qu'on est enfin parvenu dans une zone plus claire et précise de son existence. Et comme on dit, quand la vie ne nous a donné que des citrons, il n'y a plus qu'une seule chose à faire: apprendre à aimer les fruits acides et à faire de la citronnade.

31

De l'enthousiasme à volonté

Le petit dictionnaire Larousse définit l'enthousiasme comme de l'«ardeur qui pousse à agir», une «grande démonstration de joie», de l'«admiration passionnée, de l'ardeur», encore, une «sorte d'exaltation qui anime un écrivain, un artiste». Et sous le verbe «enthousiasmer», le même dictionnaire donne la définition suivante: «se passionner pour quelqu'un ou pour quelque chose». Aussi, il est intéressant de noter que le mot «enthousiasme» dérive du mot grec «enthousiasmos», ce qui signifie: «transport divin».

J'ai aussi cherché dans le même dictionnaire quelle pouvait être la définition du mot «optimisme», et voici en quels termes ce mot-là est défini: «attitude de ceux qui prétendent que tout est pour le mieux dans le monde, ou que la somme des biens l'emporte sur celle des maux. Tendance à voir tout en bien.» Voyons donc maintenant comment l'enthousiasme et l'optimisme peuvent avoir une influence sur le bonheur.

Dernièrement, attablé dans un restaurant en compagnie de ma femme, je m'attendais depuis une bonne dizaine de minutes à être servi, mais en vain. Il y avait bien trois ou quatre serveuses qui se trouvaient dans un coin en train de «tuer le temps», mais comme elles ne semblaient guère se soucier de la clientèle, aucune d'elles ne fit la moindre diligence pour s'approcher de notre table.

Mais juste avant que nous décidions de quitter les lieux pour aller ailleurs, voilà qu'une serveuse se présente à notre table. Le sourire aux lèvres, avec beaucoup de gracieuseté et de gentillesse, elle s'empressa de nous saluer; et sans perdre un instant, elle se mit à nous suggérer les divers menus du restaurant. Avec un art peu commun, elle nous conseilla particulièrement un plat tout à fait spécial d'un des cuisiniers. Nous nous sommes donc laissé guider par cette serveuse à l'air vraiment professionnel et en moins de temps qu'il nous a fallu pour prendre notre apéritif, les plats commandés étaient déjà sur notre table. En effet, ces spécialités étaient vraiment délicieuses. A cinq ou six reprises, la serveuse revint autour de nous afin de s'assurer que tout était à notre satisfaction et que nous ne manquions de rien. Et une fois rendus au café, elle revint remplir nos tasses à deux reprises.

Juste avant le repas, nous étions en train de nous demander, ma femme et moi, dans quelle sorte de restaurant de dernier ordre avions-nous échoué? Alors que nous avions pris la décision de sortir de ce restaurant afin d'aller manger ailleurs, voilà qu'une serveuse enthousiaste a tout changé. Il est bien certain que sans la passion que montrait cette serveuse envers son travail, nous n'aurions eu qu'une bien pitoyable opinion de ce restaurant, et sans doute nous n'y aurions jamais remis les pieds. Mais grâce à l'excellent service enthousiaste de la part d'un seule serveuse, nous nous promettions dorénavant de revenir manger dans ce même restaurant que nous étions prêts à condamner il y avait à peine une heure.

A cause de son ardeur, sa passion envers son travail, son enthousiasme, cette serveuse n'a pas manqué de bousculer nos idées toutes faites. Elle montrait tant d'amour à faire son travail qu'on ne pouvait faire autrement que se sentir en de bonnes mains en se laissant conseiller par une telle personne. A la fin du repas, nous ne pouvions faire autrement que d'aller la remercier sincèrement pour l'aimable attention qu'elle nous avait portée, sans non plus oublier de lui laisser le généreux pourboire qu'elle avait bien mérité. Et en passant à la caisse, nous avons félicité le gérant de l'établissement pour la bonne qualité de sa cuisine, et aussi pour l'excellent service. Voilà, en fin de compte, comment l'enthousiasme d'une seule serveuse de restaurant a réussi, grâce à son zèle et à son dévouement, à faire en sorte que la bonne réputation d'un établissement aille sans cesse en grandissant.

Au cours de la semaine dernière, je me suis arrêté à une station-service afin de faire le plein d'essence. J'attendis au moins cinq bonnes minutes sans qu'aucun des trois employés qui se trouvaient à l'intérieur et qui jouaient aux cartes ne montra le moindre empressement à venir me servir. Pourtant, il était clair que ces gens-là travaillaient à cet endroit puisqu'ils étaient vêtus d'uniformes indiquant bel et bien qu'ils étaient des employés de cette station. Il était clair aussi que tous les trois voyaient bien qu'un client attendait aux pompes puisqu'à deux reprises au moins, les trois ont tourné la tête et jeté un coup d'oeil au dehors. Mais ils étaient tellement pris par leur partie de cartes que pour eux, la réputation de l'établissement qui les employait passait au second rang.

Mais juste avant que je décide finalement d'aller faire le plein ailleurs, voilà qu'arrive en courant, provenant de derrière la bâtisse, un quatrième employé. Loin de perdre son temps, comme le faisaient ses trois compagnons de travail, ce dernier employé avait tout simplement décidé de passer les quelques minutes de temps libre dont il disposait à tondre la pelouse recouvrant la cour arrière de la station. Tout confus de constater que personne ne s'était encore occupé de moi, ce jeune et distingué employé me fit des excuses pour ses compagnons. Et pendant que le réservoir de mon auto se remplissait, il s'empressa de vérifier l'huile du moteur, de laver les vitres et aussi, de jeter un bref coup d'oeil sur les pneus afin de s'assurer qu'ils étaient gonflés de façon normale. Et lorsqu'il me remit mon change, il s'excusa encore une fois de plus parce que j'avais dû attendre avant de recevoir du service.

Le mois passé, j'étais assis dans une salle de conférence en train d'écouter un discours qui traitait de la marche des puissances mondiales du commencement du monde jusqu'à nos jours. Il est vrai que j'avais déjà lu à plusieurs reprises le récit des puissances mondiales, mais c'était la première fois que je comprenais à fond de telles explications. L'orateur a démontré un tel enthousiasme au cours de son vibrant exposé que tout l'auditoire se trouvait comme littéralement suspendu à ses lèvres. Avec ardeur, gestes descriptifs et faciaux, et conviction, cet orateur, exceptionnel à cause de son enthousiasme, nous fit revivre des événements d'un lointain passé avec une telle puissance qu'au moment où j'écris ces lignes, c'est tout comme si ces choses se déroulaient devant moi comme un film. Tout au long du discours l'orateur n'a pas fait que ressasser de vieilles informations connues depuis si longtemps. Non, il présenta son discours avec tant de force et d'enthousiasme qu'il parut comme si c'était la première fois que j'entendais pareilles explications.

Etre enthousiaste, c'est sortir de la routine, sortir des innombrables sentiers battus par l'armée des gens ordinaires, soit les gens qui se contentent tout simplement de «faire comme les autres»: travailler uniquement pour gagner leur vie; demeurer avec leur conjoint uniquement à cause des enfants; aller à l'église uniquement par routine, par habitude; vivre en paix avec leurs voisins uniquement parce qu'ils ne veulent pas s'attirer d'ennuis; ne jamais faire de compliments sincères à quelqu'un uniquement parce qu'ils sont trop gênés. En somme, être enthousiaste pour une chose, envers quelqu'un, un travail, une cause, ce n'est pas seulement se contenter de faire uniquement son strict devoir, un point c'est tout. Non, être enthousiaste, c'est accomplir son devoir en y mettant de l'art, de l'application, de l'ardeur, de la passion, de la créativité.

Comment se fait-il que des couples, en ménage depuis cinquante ans, n'en continuent pas moins de s'aimer, se respecter, se chérir tendrement; tandis que d'autres, qui viennent à peine de se mettre en ménage décident, au bout de quelques courtes années, de se séparer tout simplement? Comment se fait-il que des balayeurs de rue, des facteurs, des postiers, des infirmières, sifflent en travaillant, se montrent amicaux avec tout le monde; tandis que d'autres, qui accomplissent pourtant les mêmes tâches, ne cessent de nous donner l'impression qu'on les dérange à chaque fois qu'on fait appel à leurs services?

Qu'est-ce qui fait qu'on aime et choisit d'aller prendre un repas dans un restaurant plutôt que dans un autre? Qu'est-ce qui fait qu'on insiste pour aller faire le plein d'essence dans une station-service plutôt que dans une autre? Qu'est-ce qui fait qu'on peut rester suspendu durant de longues heures aux lèvres d'un orateur, alors qu'on a de la misère à se tenir tranquille quand certains ne nous parlent que depuis cinq minutes? Qu'est-ce qui fait que des jeunes se passionnent pour leurs études, que des maris et des épouses soient toujours passionnés l'un envers l'autre, que des ouvriers sifflotent en travaillant, que des mères chantent en préparant les repas pour la maisonnée, que des époux rentrent à la maison en criant chaleureusement «Bonjour chérie, comment vas-tu?»; que des caissières nous remercient en nous remettant notre change, que des médecins nous donnent une petite tape dans le dos en nous disant de ne pas nous inquiéter lorsqu'on laisse leur clinique?

Oui, qu'est-ce qui fait que des gens paraissent a-voir des ailes alors que d'autres, eux, traînent lamentablement la patte en tout temps, en tout lieu? Qu'est-ce qui fait que tant de gens se retrouvent constamment en chômage, sans jamais pouvoir mettre enfin la main sur l'emploi idéal, alors que d'autres se voient forcés de refuser du travail? Et finalement, qu'est-ce qui fait que des gens traversent la vie en chantant, en remerciant Dieu pour chaque instant de leur vie, en réchauffant le coeur des autres, et en faisant aussi apparaître un sourire d'espoir sur le visage de ceux qui sont les plus démunis; tandis que d'autres, par contre, critiquent sans cesse, ne sont jamais satisfaits de rien, se détestent eux-mêmes, et rudoient les autres?

Dans tous les cas, la joie de vivre, ou le bonheur qu'on savoure à vivre avec un conjoint, qu'on goûte en accomplissant un travail, qu'on ressent en rendant un service à autrui, et qu'on retire en même temps qu'on reçoit un compliment mérité, ne tient qu'à un fil: l'ardeur, la passion, l'enthousiasme dont on fait montre soit en gestes, en paroles, en actions que d'autres, par contre, trouvent bien banals. Pour quiconque démontre de l'enthousiasme, les questions d'argent ont bien peu d'importance. Les gens enthousiastes savent qu'en se passionnant pour tout ce qu'ils font, et à chaque instant de leur vie, ils n'auront jamais à craindre de pénuries d'aucune sorte.

Les gens qui ne se contentent que de faire strictement leur «devoir», comme ils disent, passent leur vie entière à achopper sur quelque chose. A leurs yeux, c'est toujours l'autre qui a tort. Ils se séparent de leur conjoint parce que ce dernier a «fait ceci...» ou a «omis de faire cela...». Ils se mettent en grève parce qu'un gérant, un directeur les aurait regardés de travers. Ils ne trouvent pas d'emploi parce que le «Gouvernement n'est pas bon». Ils brûlent un feu rouge parce que les feux de circulation sont placés aux mauvais endroits. Et s'ils se font arrêter sur l'autoroute parce qu'ils roulent trop vite, c'est toujours la faute de la police qui montre trop de zèle. Par contre, si leur maison est cambriolée, c'est encore la faute de la police: elle n'est pas assez zélée. Et c'est ainsi tout au cours de leur vie. Ils se plaignent de tout sans jamais songer pour un instant que ce sont précisément eux qui, à cause de leur manque de passion envers la vie en général, leur manque d'enthousiasme, sont les principaux artisans de leurs défaites perpétuelles, de leurs découragements et de leurs malheurs.

L'enthousiasme et l'optimisme vont de pair en ce sens que plus on cultive la bonne habitude de «voir du bien» en toute chose et en tout être, plus cette excellente attitude d'esprit nous incite et nous pousse à nous passionner, nous enthousiasmer pour ces mêmes choses, ces mêmes personnes. Et en retour, plus on s'enthousiasme envers quelqu'un, ou quelque chose, plus on puise du bonheur à accomplir telle chose ou à fréquenter telle personne.

Il est bien certain que lorsque quelqu'un ne voit que les choses négatives dans son travail, dans son foyer, chez son conjoint, ou chez qui que ce soit, cette personne-là ne se passionnera pas pour son emploi, sa maisonnée, son conjoint, ou qui que ce soit. Et une telle personne sera toujours malheureuse.

Et quand la passion n'est pas au rendez-vous, c'est l'amertume qui y est. On ne peut jamais être à la fois chaud et froid pour quelque chose ou envers quelqu'un. On est, soit froid ou chaud, mais jamais tiède. On peut se montrer positif ou négatif; on éprouve de l'enthousiasme ou de l'amertume, mais il est impossible d'éprouver les deux sentiments à la fois. Et étant donné que l'enthousiasme va toujours de pair avec la joie de vivre et le bonheur, et que l'amertume va toujours de pair avec la tristesse et le malheur, on choisit donc d'être heureux ou malheureux, dépendant du degré d'enthousiasme ou d'amertume qu'on accepte de bon gré d'appliquer et de cultiver dans nos relations avec les êtres et dans l'accomplissement de nos actions.

Contrairement aux autres serveuses du restaurant dont j'ai fait mention tout au début de cette leçon, celle qui a démontré de l'enthousiasme dans l'accomplissement de son travail paraissait très heureuse de faire un tel travail. Alors que les autres serveuses traînaient lamentablement, tristes et lasses, guettant sans cesse l'heure finale pour poinçonner, celle qui a démontré de l'enthousiasme respirait la joie de vivre et le bonheur. Cela se sentait et se voyait. Et il est absolument certain qu'après ses heures de travail, cette serveuse-là devait emporter avec elle son enthousiasme, sa joie de vivre et son bonheur. Puis, une fois arrivée chez elle, c'est finalement toute la maisonnée de cette femme enthousiaste qui devait profiter en abondance de la chaleur émanant d'une telle personne.

Après avoir prononcé sa conférence sur la marche des puissances mondiales, j'allai féliciter l'excellent orateur pour les points qu'il venait de développer avec beaucoup d'enthousiasme face à l'auditoire. En lui serrant la main, je regardai son visage et j'ai bien vu, et aussi bien senti, qu'il n'avait pas laissé son enthousiasme sur la chaire. L'ardeur dont il fit montre en me serrant la main me prouva qu'il avait encore un coeur débordant d'enthousiasme. Grâce à son enthousiasme, il avait prononcé un discours enflammé qui nous avait tous permis de comprendre clairement les points traités au cours de l'exposé. Et l'orateur eut lui-même l'opportunité de constater à l'issue de la réunion l'effet qu'avaient produit ses explications, explications qu'il venait de transmettre avec beaucoup de force et d'enthousiasme. Si cet orateur possédait encore son enthousiasme après son exposé, je suis certain qu'il a dû l'apporter avec lui en quittant la salle de conférence. Puis, une fois arrivé chez lui, je suis encore persuadé que cet homme était toujours débordant d'enthousiasme. Donc, l'enthousiasme qui rendit cet homme heureux après son discours, doit logiquement lui permettre de saisir d'innombrables occasions de «bonheurs» dans quelque activité accomplie, en quelque endroit qu'il se trouve, en quelque temps que ce soit ou en compagnie de qui que ce soit.

L'enthousiasme se cultive donc à partir de la pensée POSITIVE qu'on émet à propos de l'événement qu'on vit ou de la personne qu'on côtoie. Il est très important de toujours penser du bien de son conjoint, de sa famille, de ses parents, de son travail, de ses amis, ainsi que de l'humanité en général. Chaque pensée se cristalise dans notre subconscient. Donc, plus on pense du bien de soi, des autres, des choses et de son travail, plus de bonnes pensées tendent à prendre racines en nous et à s'affirmer en nous. Et plus le bien s'affirme, plus il croît. Et plus le bien croît en nous, plus nous nous améliorons et tendons sans cesse vers le bien et la pratique du bien.

L'enthousiasme se voit, se sent, donc se communique. Plus on s'enthousiasme, on se passionne pour la vie, plus on enflamme le coeur des gens qui nous côtoient. Et plus le monde s'enthousiasme, plus il s'enflamme d'amour. Finalement, plus grand est le foyer d'amour qui opère au sein de l'humanité, plus il y a d'opportunités de «bonheurs» qui affluent vers nous. C'est en devenant heureux qu'on rend tout le monde heureux. «On ne peut pas être enthousiaste sans être positif; et on ne peut pas être positif sans être heureux.»

32

Harmonie +
Équilibre = Bonheur

Là où il y a de l'harmonie et de l'équilibre, il y a toujours de la joie de vivre et du bonheur. En effet, on ressent toujours beaucoup de joie à contempler un magnifique tableau dans lequel se dessinent des lignes équilibrées et où les couleurs se marient harmonieusement.

C'est aussi l'harmonie et l'équilibre qui nous permettent d'apprécier le processus des saisons. En été il fait chaud, et en hiver il fait froid. S'il fallait que ces deux saisons extrêmes se succèdent soudainement, sans aucune transition, nous serions mal pris bien des fois. Cependant, le fait que ces deux saisons soient entrecoupées de deux autres saisons transitoires, soit l'automne et le printemps, voilà qui nous les fait grandement apprécier. L'équilibre joue donc un rôle important dans la transition des saisons, et l'harmonie nous permet de jouir pleinement des magnifiques décors qu'il nous est permis de contempler à satiété lors de leur apparition respective.

Nous avons bien besoin de la pluie et du beau temps. Mais nous serions bien mal pris s'il fallait que ceux-ci nous parviennent sans aucun équilibre, ni harmonie. La venue de la pluie et du beau temps sont toujours, du moins presque toujours, équilibrés par des signes annonciateurs qui nous indiquent le temps qu'il fera, ce qui nous permet de nous mettre à l'abri, ou de planifier nos travaux à l'extérieur. De plus, l'harmonie existant dans les décors qui s'offrent à notre vue lorsqu'il pleut, ou qu'il fait beau temps, nous permet de jouir pleinement de la contemplation de leur magnificence.

C'est encore l'équilibre et l'harmonie qui nous aident à accepter et à apprécier grandement l'aurore et le crépuscule. Nous serions bien en peine s'il fallait que la clarté du jour et la noirceur de la nuit se succèdent soudainement sans transition aucune. Mais heureusement pour nous, grâce à l'équilibre, ces deux états extrêmes se succèdent avec une telle subtilité transitoire qu'on a le temps de s'habituer graduellement, tant à la clarté du soleil qu'à la noirceur de la nuit. Et grâce à l'harmonie qui prévaut à l'aurore comme au crépuscule, nous sommes à même de goûter au bonheur de contempler de superbes levers de soleil, ou encore, de magnifiques couchers de soleil.

L'équilibre et l'harmonie jouent aussi un rôle très important au niveau du corps humain. Qu'il s'agisse de la tête, des bras, des mains, des doigts, ou de la poitrine, de l'abdomen, des jambes, des pieds et des orteils, chaque partie du corps est parfaitement équilibrée et judicieusement harmonisée avec les autres parties. Si nous sommes heureux de posséder le genre de corps dont nous sommes dotés, c'est grâce à l'harmonie et l'équilibre qui se voient partout dans l'organisme. Nous serions bien à plaindre s'il fallait que subitement, les diverses parties de notre corps se mettent à croître de façon disproportionnée au gré des caprices de la nature; ou si les traits et le teint de notre peau se mettaient à se dessiner et à se colorer au gré des caprices de la nature. Mais tout est bien réglé, harmonisé et bien équilibré, et ce sont justement ces deux états qui nous rendent heureux de posséder un organisme aussi mangnifique et pratique.

Notre planète la terre est encore un autre excellent exemple d'harmonie et d'équilibre. Etant ronde, et de dimension tout à fait appropriée, la terre est donc bien proportionnée, ce qui en fait une énorme boule parfaitement équilibrée afin d'accomplir ses nombreuses révolutions sur elle-même ainsi que celle qu'elle effectue annuellement autour du soleil. De plus, l'équilibre de la terre permet à la lune d'évoluer sans cesse autour d'elle sans qu'il n'y ait jamais de risque de collision.

Lorsque les premiers astronautes ont foulé le sol de la lune, ils ont regardé la terre et ne purent s'empêcher de s'extasier devant un tel joyau. Ces astronautes ont regardé dans tout le vaste univers et ils n'ont vu aucune autre planète qui se trouvait aussi harmonieusement dotée des superbes couleurs que possède la terre. C'est précisément à cause des lois de l'harmonie parfaite qui prévaut dans ses milliers de coloris qui contribue à faire en sorte qu'on soit heureux de vivre sur une telle planète, une planète qui convient exactement à nos besoins.

Tout dans la vie est question d'harmonie et d'équilibre. L'artiste qui équilibre les lignes de ses dessins et qui harmonise avec beaucoup de soin les couleurs, éprouvera beaucoup de bonheur à contempler, puis à présenter le tableau qu'il viendra tout juste d'achever. L'enfant qui vient d'être conçu harmonise, du fait de sa conception, les relations devant normalement exister entre un homme et une femme. Et grâce à la période de gestation de neuf mois qu'il passera dans le sein de sa mère, il travaille ainsi pour équilibrer son organisme, ce qui assurera sa survie une fois qu'il fera son entrée dans le monde.

En somme, les activités qui nous incombent sont précises et assez limitées, et pour qu'on soit en mesure de trouver de la joie à les accomplir, il importe que chacune d'elle soit régie par les lois de l'harmonie et de l'équilibre. Manger, travailler, se reposer, se distraire, se récréer, dormir, se marier, se reproduire, voilà en gros la somme de nos principales activités. A chaque fois qu'on fait intervenir l'harmonie et l'équilibre dans l'accomplissement de chacune d'elle, on est heureux.

Considérons par exemple l'activité qui consiste à manger. Certes, il nous faut manger pour vivre; mais pour être en mesure de goûter pleinement tous les «petits bonheurs» qu'offre la dégustation d'aliments savoureux et variés, il importe que les portions soient équilibrées selon nos besoins physiques et que les variétés soient harmonisées avec nos besoins organiques. Quand nous mangeons «mal», nous nous causons du mal; et si, par contre, nous mangeons bien, soit de façon équilibrée et harmonieuse, nous éprouvons beaucoup de satisfaction et de bonheur à savourer quotidiennement nos repas. Dans l'activité vitale consistant à manger, il faut toujours se souvenir, afin d'être sans cesse en mesure de profiter pleinement du bonheur, de manger tout comme les éléphants doivent manger, mais pas les mêmes quantités d'aliments.

Il en est de même de deux autres activités importantes que nous devons sans cesse accomplir: travailler et dormir. On peut éprouver beaucoup de bonheur à accomplir un travail qu'on aime, qui nous valorise; et aussi, on peut connaître le même bonheur quand on profite enfin d'un repos bien mérité. Dans l'accomplissement des deux activités que sont le travail et le repos, il y a l'équilibre qui préside à l'une et à l'autre, équilibre qui nous permet de goûter pleinement au bonheur qu'on retire du travail comme celui qu'on retire du sommeil. Et dans ces deux activités, il y a aussi l'harmonie qui préside dans le choix d'un travail qui s'harmonise avec nos aptitudes, nos capacités et nos besoins, ce qui nous rend heureux d'accomplir un tel travail qui nous convient; et il y a aussi l'harmonie qui préside dans le choix d'un repos qui s'harmonise parfaitement à travers les périodes de temps que nous consacrons au travail. Et dans l'accomplissement de ces deux activités vitales, soit travailler et se reposer, il faut sans cesse se souvenir, afin d'être en mesure de goûter pleinement le bonheur de travailler ou de se reposer, que si nous devons travailler huit heures et dormir huit heures, nous ne devons jamais accomplir ces deux activités durant les mêmes heures.

L'équilibre et l'harmonie doivent aussi présider dans l'accomplissement de toutes les autres activités de la vie qui nous incombent. S'il est mortel pour l'être humain de s'isoler de ses semblables, il faut se souvenir qu'il est tout aussi dangereux d'introduire sans cesse son nez dans les affaires d'autrui. Et si, comme les lapins, nous devons nous reproduire, il faut toujours se souvenir que ce ne doit pas être au même rythme.

Pour être heureux, il faut aussi apprendre à équilibrer ses émotions et à harmoniser ses sentiments avec les circonstances du moment. On est déséquilibré quand on pleure tout le temps pour des riens, et on manque d'harmonie quand on reste indifférent vis-à-vis de la souffrance d'autrui. On est déséquilibré quand on ne pense qu'à s'amuser, se distraire; et on manque d'harmonie quand on passe sa vie entière à critiquer autrui et à en vouloir à tout le monde.

Les oiseaux s'harmonisent bien avec le vol gracieux qu'ils effectuent dans les airs; les poissons s'harmonisent bien avec les profondeurs de l'océan; et nous, on se «désharmonise» dès l'instant qu'on ne reste pas à notre place. En effet, à chaque fois que l'envie nous prend d'entreprendre des projets qui nous dépassent, de nous immiscer indûment dans les affaires d'autrui, ou encore de nous substituer à quelqu'un d'autre, nous nous «désharmonisons». Etant donné que la joie de vivre et le bonheur ne résident que là où il y a de l'harmonie, on ne peut donc faire autrement que s'attirer des peines et des malheurs quand nous sortons du cadre de vie harmonieux qui nous convient, qui est nôtre.

La terre est parfaitement équilibrée dans son orbite actuel; nos maisons sont parfaitement équilibrées avec notre taille; et nous, on se déséquilibre à chaque fois qu'on essaie de substituer le repos au travail, ou vice versa; à chaque fois qu'on substitue l'alcool à la nourriture; à chaque fois qu'on substitue l'agression à la tendresse.

La création tout entière ne cesse de nous donner des leçons d'harmonie et d'équilibre. Et comment se fait-il qu'il en soit ainsi? Tout simplement pour nous faire bien sentir que chez nous aussi, l'harmonie et l'équilibre doivent sans cesse prévaloir dans chacune de nos activités. Quand l'équilibre nous sert de gouvernail et nous guide dans l'accomplissement de nos devoirs quotidiens; et quand l'harmonie nous sert de baume adoucissant dans nos relations avec autrui, qu'avons-nous alors d'autre à espérer que du bonheur sans fin à cueillir sous la forme de petites «gouttelettes» de joie de vivre, ceci, à chaque instant précieux de notre longue vie?

33

Pour le sage, chaque jour est une nouvelle vie

Il y a environ cinq ans, j'ai fais la connaissance d'un homme dont le plus grand rêve dans la vie était de gagner un million de dollars à la loterie. Cet homme était persuadé que si jamais il venait à gagner le gros lot, tous ses problèmes s'envoleraient du même coup. Environ un mois après avoir lié connaissance avec ce type, j'ouvre mon journal local et qu'est-ce que j'aperçois? La photo de cet homme, et au bas de celle-ci, la mention qu'il était l'heureux gagnant du deuxième gros lot de la loterie, soit cinq cent mille dollars. Un demi-million, ce n'est pas un million, mais c'est quand même bien mieux que rien.

Et je n'ai plus entendu parler de lui depuis que récemment. Il y a quelques semaines, je l'ai rencontré de nouveau alors que je sortais d'un centre d'achats. Me rappelant le principal désir de cet homme, celui de devenir riche, et sachant qu'il avait gagné à la loterie il y avait environ cinq ans, je me sentais poussé à lui demander s'il se sentait plus heureux depuis le jour mémorable où il était enfin devenu riche.

La triste histoire que cet homme me raconta ne me laissa plus aucun doute quant à son bonheur actuel. L'argent lui ayant plutôt monté à la tête, il avait abandonné son emploi, s'était mis à boire plus que de raison; et le fait de dépenser sans compter l'a inévitablement mis en contact avec toutes sortes de personnes dont le degré de moralité n'était pas toujours des plus recommandables. Et aujourd'hui, il vit seul, séparé de sa femme, malade et sans emploi; de plus, de l'immense fortune qu'il possédait, il lui reste à peine trente mille dollars.

Il est bien certain que nous avons tous besoin d'argent pour vivre, pour subvenir à nos besoins quotidiens ainsi qu'à ceux des autres. Mais qu'est-ce qui nous rend le plus heureux? Recevoir tout d'un coup le salaire de toute une vie de travail qui n'est même pas encore accompli, ou bien recevoir ce salaire sous forme de petites sommes d'argent au fur et à mesure que nous l'avons finalement gagné? On est toujours heureux de recevoir un salaire bien mérité pour du bon travail qu'on a accompli, mais peut-on en dire autant quand, sans qu'on ait fourni d'efforts, l'argent nous tombe du ciel pour ainsi dire? S'il fallait que dès notre entrée dans le monde, nous recevions à l'avance tout l'argent nécessaire qui nous permettrait de vivre à l'aise durant toute la durée de notre vie, éprouverions-nous alors autant de bonheur à accomplir du bon travail de nos mains? Non, c'est plutôt le contraire qui se produirait, nous perdrions très vite le goût même du travail. Mais ce qui nous rend heureux, vraiment heureux, c'est de recevoir notre salaire au fur et à mesure que nous le gagnons. Ce que nous avons gagné grâce à nos efforts, nous sommes toujours heureux de recevoir une récompense en retour; et cette façon de recevoir notre salaire fait en sorte que nous soyons sans cesse heureux de nous remettre au travail chaque jour de notre vie.

On sait que le temps est éternel, qu'il s'écoule sans fin, sans jamais s'arrêter, et qu'il n'y a aucun danger qu'il y ait de pénurie dans ce domaine. Mais bien que le temps soit éternel et qu'il y en ait en a-bondance en réserve, avez-vous remarqué de quelle façon Dieu nous le dispense? Nous le donne-t-il en tranches incohérentes et démesurées? Nous le distribue-t-il à l'avance avant que nous en ayons be-soin? Non, Dieu nous le dispense plutôt en périodes égales et consécutives d'«un jour à la fois», pas plus ni moins. De plus, Dieu, dans sa grande sagesse et son infinie bonté, a fait en sorte qu'à la suite de cha-que période «d'une journée de vie», ou de temps, il y ait une nuit qui la succède et lui met un terme.

Et pourquoi pensez-vous que ce soit là la meilleure façon qui nous soit donnée de recevoir le temps, soit en petites tranches d'«un jour» à la fois? Si le Créateur a jugé bon de procéder ainsi, c'est dans le but de nous faire clairement comprendre que le temps de vivre vraiment, pleinement, et le bonheur à puiser de la vie ne se trouvent pas au «bout de la vie» comme on le prétend bien souvent, mais à tort; mais que le temps de savourer pleinement la vie et d'y puiser toute la somme de «petits bonheurs» possibles se trouve bel et bien à l'intérieur de chacune des périodes d'«un jour» de temps de vie qui nous sont données. Aussi, Dieu nous donne ainsi le temps afin de nous faire bien sentir que malgré nos tourments, nos peines, nos difficultés, nos problèmes, nos angoisses, nos découragements, nos malheurs, nos désirs, nos ambitions, nos rêveries, nos projets, il convient pour le sage d'user du temps avec parcimonie, par périodes, et que pour lui, chacun des jours de la vie doit sans cesse être considéré comme le perpétuel commencement d'une nouvelle vie.

Voilà, lorsque nous le comprenons bien, ce qu'il y a de vraiment merveilleux avec la vie: savoir, et surtout bien comprendre, que malgré nos imperfections, nos difficultés, nos échecs, nos soucis et nos malheurs, il est toujours possible, à chaque nouveau matin de la vie, de RECOMMENCER UNE NOUVELLE VIE.

En effet, chaque nouveau matin nous permet et marque pour nous le point de départ d'une NOUVELLE VIE. Et c'est tout à fait merveilleux qu'il en soit ainsi, car autrement, si ce n'était des nuits qui viennent sans cesse mettre un terme à chacune de nos périodes d'«une journée» de vie, comment pourrions-nous alors nous «détacher» des moments de souffrance, d'erreur, de tristesse, de déception, de découragement et de malheur qui viennent, plus souvent qu'autrement, assombrir l'une ou l'autre des périodes de notre vie? Si les périodes de temps de vie qui nous sont dispensées devaient s'étendre sur plus de vingt-quatre heures, nous aurions alors bien des fois de la difficulté à reprendre notre souffle et à retrouver même le goût de continuer de vivre. Mais fort heureusement pour nous, le fait que le temps nous soit ainsi attribué, soit en périodes «étanches» d'«une journée» de vie à la fois, périodes marquées d'un jour de vie et d'une nuit d'inconscience ou de repos, voilà qui contribue à nous donner sans cesse le désir de continuer de vivre en espérant sans cesse que «demain, tout ira mieux».

On dit que l'espérance fait vivre. Oui, c'est exact et sans cet arrangement que nous connaissons avec le temps, comment nous serait-il possible d'espérer des «jours meilleurs» s'il n'y avait les nuits d'inconscience qui sont toujours là, fidèles au rendez-vous, afin de nous faire oublier nos malheurs d'«hier» et nous permettre d'espérer des «demains» plus heureux? Avez-vous remarqué comment, à chaque nouveau matin de notre vie, nous nous réveillons et devenons de nouveau conscients à la vie avec l'esprit tout à fait dégagé de nos problèmes de la veille, et avec le désir intense de savourer pleinement ce nouveau jour qui s'offre à nous?

On dit souvent que la nuit porte conseil. Il est impossible qu'au sens littéral, la nuit puisse nous porter conseil, car durant la nuit, soit pendant que nous dormons, nous sombrons dans l'inconscience, donc incapables d'absorber consciemment quelque conseil que ce soit. Mais lorsque nous nous réveillons le matin avec ce sentiment que la nuit que nous venons de passer nous a conseillés, ce merveilleux processus est plutôt dû au fait que la nuit soit venue nous «détacher» de nos malheurs; nous avons donc l'esprit libéré, nous permettant ainsi d'affronter courageusement, positivement et joyeusement la nouvelle journée, ou nouvelle vie qui commence.

Personne en ce monde ne devrait donc penser, prétendre ou dire qu'il est «trop tard» pour lui ou elle de recommencer une nouvelle vie, pour être heureux de nouveau. La vie est ainsi faite que chaque nouvelle période de temps qui nous est dispensée nous permet sans cesse de nous détacher ou nous départir des choses négatives et décourageantes qui avaient tendance à s'accrocher à nous précédemment. De ce fait, chaque être humain a donc la merveilleuse possibilité de «refaire» ou «recommencer» sans cesse une nouvelle vie, SA VIE. Et lorsqu'une période d'«une journée» de vie semble plutôt «creuse», vide de sens, décourageante, triste et malheureuse, nous avons donc ainsi, CHACUN DE NOUS, l'espoir que «demain» sera meilleur. Chaque nouvelle journée de vie nous «isole» donc «hermétiquement» de tous nos malheurs et nos déceptions d'hier, ce qui nous procure l'espérance vitale - qui fait souvent vivre - qu'il y aura sans cesse quelque chose de meilleur à puiser dans les nombreuses autres périodes de vie qui sont DEVANT nous.

Si, pour le sage, chaque jour est le commencement d'une nouvelle vie, le sage, soit l'être qui tient à puiser le plus de bonheur légitime possible de la vie, doit aussi apprendre à considérer la vie dans son ensemble et non pas limiter sa perception de la vie uniquement à partir de la contemplation d'une seule période ou journée de vie.

J'ai eu le privilège de recevoir, il y a une douzaine d'années, toute une leçon de vie de la part d'un habile menuisier que j'avais engagé afin de s'occuper des travaux de finition d'une maison que je venais de construire. A chaque heure de la journée, je me rendais sur les lieux des travaux et prenant en considération tout ce qui paraissait être des erreurs à mes yeux, je dérangeais sans cesse ce menuisier pour lui faire part de tout ce qui n'allait pas, ou ce qui ne «me» semblait pas tout à fait exact. Un jour, n'y tenant plus, l'homme me prit à part et me dit fermement qu'il me fallait choisir entre deux choses: soit que je fasse moi-même le travail ou, si je désirais qu'il accomplisse son travail, il me faudrait dorénavant le laisser travailler tranquille et ne remettre les pieds à l'intérieur de la maison seulement que lorsque tout le travail de finition serait accompli.

Environ dix jours plus tard, l'homme me téléphona pour me dire que tout était terminé et que je pouvais maintenant venir constater le travail accompli. Une fois rendu sur les lieux, quelle merveille! Tout était absolument bien fait. Le «produit fini» était tout simplement impeccable. Je vais vous expliquer maintenant quelle sorte de leçon de vie j'ai bien pu retirer de la part de cet habile ouvrier; une importante leçon de la vie qui m'a beaucoup servi depuis lors et, j'en suis absolument persuadé, me servira grandement durant toute ma vie.

C'est que je me rendais si souvent sur le chantier de travail que je ne pouvais avoir qu'une vision bien limitée de l'ensemble du traval accompli. Vu que les travaux progressaient lentement, la vision limitée que je me faisais des choses m'obligeait donc à me concentrer exclusivement sur tous les «défauts apparents» qui s'offraient à mes yeux, tenant compte du rythme de progression des travaux. Et tout ceci m'énervait au point qu'à chaque fois que j'attirais l'attention du menuisier sur un soi-disant défaut quelconque, ce dernier s'énervait à son tour. Finalement, son énervement s'infiltrait dans son travail à un point tel qu'il n'était plus en mesure de se concentrer sur l'«ensemble» de l'ouvrage. Il était tellement «accroché» à tous les petits «défauts» au sujet desquels j'attirais constamment son attention, qu'il lui était impossible de se concentrer convenablement et de mener à bonne fin les travaux de finition. Et s'il n'avait pas pris la ferme décision d'intervenir en me disant de ne plus le harceler de la sorte, il n'aurait fourni qu'un travail médiocre.

Mais lorsque je suis allé voir le «produit fini», je n'avais plus alors une vision limitée de chaque étape franchie. J'avais une perception beaucoup plus élargie, en observant le travail dans son ensemble. Le bonheur que j'éprouvais présentement en contemplant le «produit fini» s'accélérait au même rythme que l'énervement qui me tenaillait en m'accrochant aux défauts apparents présentés par chaque étape franchie. Il en fut de même du côté du menuisier, car il était heureux de me voir très satisfait. Il goûtait ainsi au bonheur intense que procure toujours la satisfaction d'une tâche bien faite, d'un devoir bien accompli.

Qu'est-ce qui fait qu'un artiste ait sans cesse le désir de se remettre au travail afin de mieux réaliser un tableau qu'il aurait pu débuter il y a de nombreux mois déjà? Qu'est-ce qui donne autant de patience à ce même artiste? Un artiste qui se découragerait à chaque fois qu'une soi-disant «erreur» se glisserait dans un trait de crayon, ou dans une teinte de peinture, n'aurait jamais la patience de continuer, et ainsi d'achever un tableau. Ce qui lui permet de se remettre au travail patiemment, sans jamais se lasser et sans jamais se décourager, bien qu'il lui faille parfois recommencer souvent les mêmes dessins, et essayer de nouvelles couleurs, c'est la perception élargie de l'ensemble du «produit fini» qu'il a constamment à l'esprit au fur et à mesure qu'il dessine sa toile. Et cette perception élargie de son oeuvre lui hante l'esprit à un point tel qu'il a sans cesse le désir de se remettre au travail et de recommencer soit un trait, soit tout le dessin s'il le faut. Et ainsi, l'artiste éprouve un réel plaisir à réaliser ce beau tableau qui lui procurera du bonheur une fois sa tâche accomplie.

Et il en est ainsi dans tous les domaines. Quand on élargit sa perception des choses et qu'on visualise mentalement l'ensemble du «produit fini», loin de s'accrocher misérablement à chacune des étapes de travail requises pour accomplir l'oeuvre, on ne manque alors pas de patience pour pouvoir se remettre sans cesse au travail. Bien plus, on est toujours heureux de continuer afin de mener à bonne fin la mission confiée, la tâche qu'on s'est assignée.

C'est peut-être fatigant de faire un jardin, mais on est toujours heureux de se mettre de nouveau au travail quand on a une perception de l'ensemble du «produit fini»; et quelle joie et satisfaction éprouvons-nous quand, un beau jour, on savoure enfin la première tomate récoltée! Il est parfois décourageant d'élever des enfants, et bien des gens démissionnent parce qu'ils attachent trop d'importance à chacune des étapes requises pour la formation d'un enfant. Mais combien est grande la joie qu'on éprouve à éduquer un enfant quand on élargit sa perception du «produit fini», soit de savoir qu'un jour, grâce à nos efforts, cet enfant deviendra une personne bien éduquée, polie, honnête travailleuse, sensée et intelligente.

Le temps de vivre nous est dispensé sous la forme de petites périodes de temps dont chacune est constituée de vingt-quatre heures, mais la formation du «produit fini», soit un être humain équilibré, mûr, compréhensif, adapté, intelligent s'échelonne sur des périodes de temps qui sont beaucoup plus longues. Le temps total nous séparant de la conception à l'âge mûr s'étend en une succession d'approximativement cinq étapes principales, soit l'âge de la gestation, celui de l'enfance, celui de l'adolescence, celui de l'expérimentation, enfin, celui où commence vraiment la vie, l'âge de l'expérience pratique.

Pour être heureux dans la vie, il importe, non pas de s'accrocher à chacune de ces étapes principales, mais plutôt d'élargir sa conception des choses au point de visualiser mentalement le «produit fini» une fois que sera finalement atteint l'âge de la maturité par excellence, soit celui où la pratique de la vie débute vraiment, l'âge de l'expérience de la vie. Ce n'est qu'en ayant les yeux bien fixés sur ce «prix» qu'il est possible de franchir allègrement chacune des principales étapes de la vie.

L'été dernier, nous étions presque découragés, ma femme et moi, de voir que les légumes de notre jardin poussaient à peine. Mais vers le milieu de l'été, nous sommes partis en voyage pour deux semaines. Et lorsque nous sommes revenus à la maison, nos légumes avaient poussé au point que nous avions de la peine à reconnaître notre jardin, ce qui nous donna une bonne idée des bons légumes que nous récolterions bientôt.

C'est exactement ainsi qu'il nous faut envisager la vie, soit notre formation. Parfois, certaines étapes de notre vie sont peut être difficiles à franchir; et très souvent, on voit des personnes qui, ayant atteint une certaine étape de leur vie, se sentent découragées quand elle considèrent le peu de progrès réalisé dans leur formation. Mais, quelle que soit l'étape de la vie qu'on est en train de franchir présentement, il ne faut jamais détourner notre regard de l'«ensemble», soit le «produit fini». Et une fois que nous avons finalement atteint le stade de la maturité, soit cette époque de la vie où l'on est enfin en mesure de vivre vraiment, on ne peut faire autrement que d'apprécier chacune des étapes qu'on a franchies, que certaines parmi elles aient été difficiles ou non.

Donc, j'ai tenu à démontrer deux choses très importantes dans cette trente-troisième leçon du bonheur. D'abord, qu'il nous faut apprendre à vivre pleinement, et à saisir au passage et goûter au maximum chaque «petit bonheur» au fur et à mesure qu'il se présente à nous, à l'intérieur de chacune des périodes de vingt-quatre heures de temps qui nous sont dispensées à la fois. Et si, durant l'une ou l'autre de ces petites périodes de temps, on n'y trouve que du découragement et du malheur, on doit toujours garder bien présent à l'esprit qu'il y a sans cesse devant soi de nombreuses autres petites périodes «hermétiques» qui nous aideront d'abord à nous «détacher» des malheurs de la veille pour nous permettre ensuite de savourer pleinement chaque nouveau «demain» qui ne manquera pas d'être fidèle au rendez-vous.

Ce que j'ai voulu démontrer ensuite, c'est que pour être en mesure de mener une vie allègre, tout en y puisant la plus grande somme de bonheurs légitimes possible, soit au point de dire finalement que «toute ma vie est «heureuse», et aussi afin d'avoir le désir intense de vivre, il faut absolument cultiver la bonne habitude de considérer la vie dans son «ensemble». Il importe de toujours s'accrocher au «produit fini», soit NOTRE formation d'être humain, plutôt que de se «bloquer» mentalement et misérablement sur une étape quelconque de la vie qui serait plus difficile ou plus critique à franchir qu'une autre.

Vivre une journée, une période de temps à la fois; élargir sa vision mentale afin de percevoir clairement la vie dans son ensemble; voilà, en fin de compte, une autre excellente façon de comprendre, et surtout de bien saisir l'excellent enseignement que le Maître des maîtres a bien daigné nous transmettre: «Ne vous inquiétez jamais du lendemain, car le lendemain aura ses inquiétudes à lui. A CHAQUE JOUR SUFFIT SA PEINE!» Voilà ce qui, à mes yeux, me semble être la meilleure philosophie du bonheur, philosophie qui ne pourra jamais être dépassée, ni même égalée par aucune sorte de philosophie humaine, si sensée soit-elle.

COLLECTION
Au jour le Jour

AU JOUR LE JOUR – EN ÂME ET CONSCIENCE

PAR JEAN-MARC PELLETIER
Une manière nouvelle d'accepter ce que la vie nous fait partager à tous.

10,95$

AU JOUR LE JOUR – PENSÉES SUR L'AMOUR

10,95$

PAR JULIETTE TREMBLAY
Recueil de 365 pensées quotidiennes sur l'amour, sur le couple, sur l'écoute de soi.

AU JOUR LE JOUR – PRIÈRES ET PENSÉES DU MILLÉNAIRE

PAR GILBERT MAHEU
Le nouveau millénaire est une bonne occasion pour la réflexion

10,95$

AU JOUR LE JOUR – LE LIVRE QUOTIDIEN D'UNE FEMME

10,95$

PAR DONNA SINCLAIR
Des réflexions qui sondent les expériences quotidiennes des femmes.

AU JOUR LE JOUR – LES PENSÉES D'UN VIEUX SAGE

PAR CLAUDETTE M'SADOQUES
Un recueil de pensées amérindiennes empreintes d'une grande sagesse.

10,95$

Bon de commande au verso

BON DE COMMANDE

J'aimerais recevoir les livres suivants:

☐ **Pensées sur l'amour**...10,95$

☐ **En âme et conscience**...10,95$

☐ **Le livre quotidien d'une femme**..10,95$

☐ **Prières et pensées pour le nouveau millénaire**.................................10,95$

☐ **Pensées d'un vieux sage** ....10,95$

Frais de poste et de manutention.. 4,00$

TPS ....

Total ....

Je joins un chèque ou un mandat postal

de....................$ au nom de **Livres à domicile 2000**,

C.P. 325, succursale Rosemont,

Montréal (Québec) H1X 3B8

---

ou faites porter à votre compte VISA

N° de carte ....

Expiration...

Signature ....

Votre nom: ....

Adresse ....

....

Ville ....

Code postal ....Province ....

Tél.:...Âge: ....

Allouez de 3 à 6 semaines pour la livraison.

COD accepté, ajoutez 5$